60

CONTES DE L'INATTENDU

Contes de l'Inattendu

RICHARD PARKER
New York University

Illustrated by Burton Hasen

D. C. HEATH AND COMPANY   **BOSTON**

Library of Congress Catalog Card No. 59–9891

À Allegra

Préface

Tous les contes réunis dans ce recueil sont contemporains, à l'exception de ceux d'Alphonse Allais et de Jean Bouvier. Les sujets gais ou légers sont bien adaptés au goût de la jeunesse. Sans être de simples contes policiers, ce sont, pour la plupart, des histoires qui se terminent d'une façon inattendue.

J'ai établi ce choix après avoir lu des centaines de contes modernes et après en avoir fait l'essai dans plusieurs classes. Les étudiants pourront donc lire ces contes sans trop de difficulté au cours du deuxième ou du troisième semestre de leurs études de français, car le vocabulaire en est simple, surtout au début du livre. La psychologie et le style de ces œuvres ne sont pourtant pas du tout enfantins.

Un texte élémentaire devant servir de modèle pour une étude plus ou moins détaillée de la langue, j'y ai ajouté des exercices variés, qui sont assez nombreux pour permettre au professeur de choisir ceux qui conviennent le plus particulièrement à son enseignement.

Les textes sont reproduits intégralement excepté *Accident,* où j'ai supprimé quelques descriptions ennuyeuses pour de jeunes lecteurs, et *Le Dernier,* où j'ai coupé une scène un peu osée, qui n'a du reste que peu de rapport avec le thème central de l'histoire.

Je tiens à remercier ici quelques-uns de mes amis qui ont eu la bonté de m'aider dans la préparation du texte: Mme Linette Brugmans, Mlle Marie-Henriette Faillie, M. Maurice Brévannes,

M. Arthur N. Colton et M. Robert E. Quinby. M. Frank M. Chambers, Associate Modern Language Editor de D. C. Heath et Cie, y a contribué des suggestions de grande valeur.

RICHARD PARKER
University Heights
New York City

TABLE DES MATIÈRES

PRÉFACE vii

Jacques Prévert

Scène de la vie des antilopes 3

Le dromadaire mécontent 5

Jeune lion en cage 7

Les premiers ânes 10

Alphonse Allais

Une mauvaise farce 14

L'ascenseur du peuple 16

Le pauvre bougre et le bon génie 19

Une bien bonne 22

André Maurois

La carte postale **26**

La maison 29

Irène 32

Jean Bouvier

Le billet de loterie 38

L'arrestation 42

Michelle Maurois

Arithmétique 48

Photographies 53

Le cadeau de mariage 62

Paul Vialar

La rente viagère 74

Charles-Ferdinand Ramuz

Accident 80

Marcel Aymé

Le dernier 96

Le passe-muraille 104

EXERCICES 115

VOCABULAIRE 153

JACQUES PRÉVERT

JACQUES PRÉVERT

Scène de la vie des antilopes

EN Afrique, il existe beaucoup d'antilopes; ce sont des animaux charmants et très rapides à la course.

Les habitants de l'Afrique sont les hommes noirs, mais il y a aussi des hommes blancs, ceux-là sont de passage, ils viennent pour faire des affaires, et ils ont besoin que les noirs les 5 aident; mais les noirs aiment mieux danser que construire des routes ou des chemins de fer, c'est un travail très dur pour eux et qui souvent les fait mourir.

Quand les blancs arrivent, souvent les noirs se sauvent, les blancs les attrapent au lasso, et les noirs sont obligés de faire le 10 chemin de fer ou la route, et les blancs les appellent des « travailleurs volontaires ».

Et ceux qu'on ne peut pas attraper parce qu'ils sont trop loin et que le lasso est trop court, ou parce qu'ils courent trop vite, on les attaque avec le fusil, et c'est pour ça que quelquefois une 15 balle perdue dans la montagne tue une pauvre antilope endormie.

Alors, c'est la joie chez les blancs et chez les noirs aussi, parce que d'habitude les noirs sont très mal nourris, tout le monde redescend vers le village en criant:

« Nous avons tué une antilope », et ils en font beaucoup de 20 musique.

Les hommes noirs tapent sur des tambours et allument de grands feux, les hommes blancs les regardent danser, le lendemain ils écrivent à leurs amis: « Il y a eu un grand tam-tam, c'était tout à fait réussi! » 25

En haut, dans la montagne, les parents et les camarades de l'antilope se regardent sans rien dire ... ils sentent qu'il est arrivé quelque chose ...

... Le soleil se couche et chacun des animaux se demande
5 sans oser élever la voix pour ne pas inquiéter les autres: « Où a-t-elle pu aller, elle avait dit qu'elle serait rentrée à 9 heures ... pour le dîner! »

Une des antilopes, immobile sur un rocher, regarde le village, très loin tout en bas, dans la vallée, c'est un tout petit village,
10 mais il y a beaucoup de lumière et des chants et des cris ... un feu de joie.

Un feu de joie chez les hommes, l'antilope a compris, elle quitte son rocher et va retrouver les autres et dit:

« Ce n'est plus la peine de l'attendre, nous pouvons dîner sans
15 elle ... »

Alors toutes les autres antilopes se mettent à table, mais personne n'a faim, c'est un très triste repas.

JACQUES PRÉVERT
Contes pour enfants pas sages
ÉDITIONS DU PRÉ AUX CLERCS

4

JACQUES PRÉVERT

Le dromadaire mécontent

UN jour, il y avait un jeune dromadaire qui n'était pas content du tout.

La veille, il avait dit à ses amis: « Demain, je sors avec mon père et ma mère, nous allons entendre une conférence, voilà comme je suis moi! » 5

Et les autres avaient dit: « Oh, oh, il va entendre une conférence, c'est merveilleux », et lui n'avait pas dormi de la nuit tellement il était impatient et voilà qu'il n'était pas content parce que la conférence n'était pas du tout ce qu'il avait imaginé: il n'y avait pas de musique et il était déçu, il s'ennuyait beau- 10 coup, il avait envie de pleurer.

Depuis une heure trois quarts un gros monsieur parlait. Devant le gros monsieur, il y avait un pot à eau et un verre à dents sans la brosse et de temps en temps, le monsieur versait de l'eau dans le verre, mais il ne se lavait jamais les dents et visible- 15 ment irrité il parlait d'autre chose, c'est-à-dire des dromadaires et des chameaux.

Le jeune dromadaire souffrait de la chaleur, et puis sa bosse le gênait beaucoup; elle frottait contre le dossier du fauteuil, il était très mal assis, il remuait. 20

Alors sa mère lui disait: « Tiens-toi tranquille, laisse parler le monsieur », et elle lui pinçait la bosse, le jeune dromadaire avait de plus en plus envie de pleurer, de s'en aller . . .

Toutes les cinq minutes, le conférencier répétait: « Il ne faut surtout pas confondre les dromadaires avec les chameaux, 25

5

j'attire, mesdames, messieurs et chers dromadaires, votre attention sur ce fait: le chameau a deux bosses mais le dromadaire
n'en a qu'une! »

Tous les gens de la salle disaient: « Oh, oh, très intéressant »,
5 et les chameaux, les dromadaires, les hommes, les femmes et les
enfants prenaient des notes sur leur petit calepin.

Et puis le conférencier recommençait: « Ce qui différencie les
deux animaux, c'est que le dromadaire n'a qu'une bosse, tandis
que, chose étrange et utile à savoir, le chameau en a deux ... »

10 A la fin le jeune dromadaire en eut assez et se précipitant sur
l'estrade, il mordit le conférencier:

« Chameau! » dit le conférencier furieux.

Et tout le monde dans la salle criait: « Chameau, sale chameau,
sale chameau! »

15 Pourtant c'était un dromadaire, et il était très propre.

JACQUES PRÉVERT
Contes pour enfants pas sages
ÉDITIONS DU PRÉ AUX CLERCS

JACQUES PRÉVERT

Jeune lion en cage

CAPTIF, un jeune lion grandissait et plus il grandissait, plus les barreaux de sa cage grossissaient, du moins c'est le jeune lion qui le croyait . . . en réalité, on le changeait de cage pendant son sommeil.

Quelquefois, des hommes venaient et lui jetaient de la pous-   5
sière dans les yeux, d'autres lui donnaient des coups de canne sur la tête et il pensait: « Ils sont méchants et bêtes mais ils pourraient l'être davantage, ils ont tué mon père, ils ont tué ma mère, ils ont tué mes frères, un jour sûrement ils me tueront, qu'est-ce qu'ils attendent? »   10

Et il attendait aussi.

Et il ne se passait rien.

Un beau jour: du nouveau . . . les garçons de la ménagerie placent des bancs devant la cage, des visiteurs entrent et s'installent.   15

Curieux le lion les regarde . . .

Les visiteurs sont assis . . . ils semblent attendre quelque chose . . . un contrôleur vient voir s'ils ont bien pris leurs tickets, il y a une dispute, un petit monsieur s'est placé au premier rang . . . il n'a pas de ticket . . . alors le contrôleur le jette dehors à coups de   20
pied dans le ventre, tous les autres applaudissent.

Le lion trouve que c'est très amusant et croit que les hommes sont devenus plus gentils et qu'ils viennent simplement le voir comme ça en passant:

« Ça fait bien dix minutes qu'ils sont là, pense-t-il, et personne   25

7

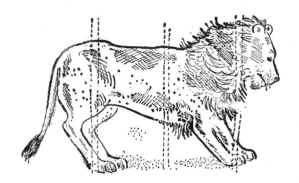

ne m'a fait de mal, c'est exceptionnel, ils me rendent visite en toute simplicité, je voudrais bien faire quelque chose pour eux ... »

Mais la porte de la cage s'ouvre brusquement et un homme 5 apparaît en hurlant:

« Allez Sultan, saute Sultan! »

Et le lion est pris d'une légitime inquiétude car il n'a encore jamais vu de dompteur.

Le dompteur a une chaise dans la main, il tape avec la chaise 10 contre les barreaux de la cage, sur la tête du lion, un peu partout, un pied de la chaise casse, l'homme jette la chaise et sortant de sa poche un gros revolver, il se met à tirer en l'air.

« Quoi? dit le lion, qu'est-ce que c'est que ça, pour une fois que je reçois du monde, voilà un fou, un énergumène qui entre 15 ici sans frapper, qui brise les meubles et qui tire sur mes invités, ce n'est pas comme il faut »; et sautant sur le dompteur, il entreprend de le dévorer plutôt par désir de faire un peu d'ordre que par pure gourmandise ...

Quelques-uns des spectateurs s'évanouissent, la plupart se sau- 20 vent, le reste se précipite vers la cage et tire le dompteur par les pieds on ne sait pas trop pourquoi, mais l'affolement c'est l'affolement n'est-ce pas?

8

Le lion n'y comprend rien, ses invités le frappent à coup de parapluie, c'est un horrible vacarme.

Seul un Anglais reste assis dans son coin et répète: « Je l'avais prévu, ça devait arriver, il y a dix ans que je l'avais prédit . . . »

Alors, tous les autres se retournent contre lui et crient: ⁵

« Qu'est-ce que vous dites? . . . c'est de votre faute tout ce qui arrive, sale étranger, est-ce que vous avez seulement payé votre place? » etc., etc. . . .

Et voilà l'Anglais qui reçoit lui aussi des coups de parapluie . . .

« Mauvaise journée pour lui aussi! » pense le lion. ₁₀

JACQUES PRÉVERT
Contes pour enfants pas sages
ÉDITIONS DU PRÉ AUX CLERCS

9

Les premiers ânes

AUTREFOIS, les ânes étaient tout à fait sauvages, c'est-à-dire qu'ils mangeaient quand ils avaient faim, qu'ils buvaient quand ils avaient soif et qu'ils couraient dans l'herbe quand ça leur faisait plaisir.

5 Quelquefois, un lion venait qui mangeait un âne, alors tous les autres ânes se sauvaient en criant comme des ânes, mais le lendemain ils n'y pensaient plus et recommençaient à braire, à boire, à manger, à courir, à dormir... En somme, sauf les jours où le lion venait, tout marchait assez bien.

10 Un jour, les rois de la création (c'est comme ça que les hommes aiment à s'appeler entre eux) arrivèrent dans le pays des ânes et les ânes très contents de voir du nouveau monde galopèrent à la rencontre des hommes.

LES ÂNES (*ils parlent en galopant*): « Ce sont de drôles d'animaux 15 blêmes, ils marchent à deux pattes, leurs oreilles sont très petites, ils ne sont pas beaux mais il faut tout de même leur faire une petite réception... c'est la moindre des choses... »

Et les ânes font les drôles, ils se roulent dans l'herbe en agitant les pattes, ils chantent la chanson des ânes et puis histoire de rire 20 ils poussent les hommes pour les faire un tout petit peu tomber par terre; mais l'homme n'aime pas beaucoup la plaisanterie quand ce n'est pas lui qui plaisante et il n'y a pas cinq minutes que les rois de la création sont dans le pays des ânes que tous les ânes sont ficelés comme des saucissons.

25 Tous, sauf le plus jeune, le plus tendre, celui-là fut mis à mort

et rôti à la broche avec autour de lui les hommes le couteau à la main. L'âne cuit à point les hommes commencent à manger et font une grimace de mauvaise humeur puis jettent leur couteau par terre.

5 L'UN DES HOMMES *(il parle tout seul)*: « Ça ne vaut pas le bœuf, ça ne vaut pas le bœuf! »

UN AUTRE: « Ce n'est pas bon, j'aime mieux le mouton! »

UN AUTRE: « Oh que c'est mauvais! » *(il pleure)*.

Et les ânes captifs voyant pleurer l'homme pensent que c'est 10 le remords qui lui tire les larmes.

On va nous laisser partir, pensent les ânes, mais les hommes se lèvent et parlent tous ensemble en faisant de grands gestes.

CHŒUR DES HOMMES: « Ces animaux ne sont pas bons à manger, leurs cris sont désagréables, leurs oreilles ridiculement 15 longues, ils sont sûrement stupides et ne savent ni lire, ni compter, nous les appellerons des ânes parce que tel est notre bon plaisir et ils porteront nos paquets.

« C'est nous qui sommes les rois, en avant! »

Et les hommes emmenèrent les ânes.

JACQUES PRÉVERT
Contes pour enfants pas sages
ÉDITIONS DU PRÉ AUX CLERCS

ALPHONSE ALLAIS

Une mauvaise farce

IL y avait un monsieur très riche, mais qui s'embêtait énormément. Aussi, pour dissiper son ennui, se livrait-il à mille farces sur ses contemporains, toutes du pire goût, d'ailleurs.

Un matin, voilà qu'il arrive sur la place publique où, d'habi-
5 tude, s'assemblent les maçons quêtant l'ouvrage. Il en avise deux qui avaient l'air un peu bête:

— Voulez-vous gagner chacun vingt francs, aujourd'hui?

— Dame, monsieur!

— Eh bien! écoutez.

10 Il s'agit d'un mur à construire tout de suite et très vite, mais de telle façon qu'il soit immédiatement sec et, sitôt fait, indestructible.

Les deux maçons se procurent tout ce qu'il faut: des moellons et un certain ciment qu'ils savent.

15 Le monsieur riche les fait monter en voiture et les emmène vers un immeuble loin, loin, à une portée de fusil, à peine, du tonnerre de Dieu.

Ils entrent dans une petite salle éclairée par deux étroites fenêtres en ogive, robustement grillagées et qui prennent jour
20 sur une vieille cour, un puits plutôt, laquelle semble un congrès de toutes les males herbes de chaque flore.

Un maçon dit:

— Ça n'est pas rigouillard ici.

Mais le monsieur riche leur indique le travail: une porte à
25 murer. Un louis tout de suite, l'autre, la besogne terminée.

Au moment précis où ils posaient le dernier moellon, la nuit commençait à tomber.

De la manche, les maçons essuient la sueur de leur front, avec *essuient* la satisfaction de la *bonne ouvrage faite*.

Mais une lividité soudaine envahit leur face. La porte... 5 cette porte qu'ils ont mis tant de conscience (et d'inconscience) à murer, cette porte est la seule issue de la chambre!

* * *

Et bien que l'aventure date de pas mal de temps, le monsieur riche ne peut passer devant cette maçonnerie sans rire de bon cœur. 10

ALPHONSE ALLAIS
Les Templiers
LES ÉDITIONS DES QUATRE-VENTS

15

L'ascenseur du peuple

JE ne sais si vous êtes comme moi, comme dit Sarcey, mais je n'ai jamais compris pourquoi les propriétaires louaient leur sixième étage moins cher que leur premier.

Un sixième étage coûte autant à construire qu'un premier, et
5 même davantage, car les matériaux doivent être grimpés plus haut et la main-d'œuvre est d'autant plus dispendieuse qu'elle s'exerce sur un chantier plus loin du sol. (Demandez plutôt aux entrepreneurs de Chicago qui construisent des maisons de vingt-deux étages.)

10 Donc, le raisonnement qui pousse les propriétaires à louer leurs appartements moins cher dès qu'ils se rapprochent du ciel, est aussi faux que celui de ces imbéciles de marchands d'œufs qui, au lieu de vendre, un bon prix, leur marchandise au sortir du cul de la poule, préfèrent attendre quelques jours pour en
15 tirer un bénéfice moindre.

Ce bas prix des logements haut situés les désigne tout naturellement au choix des ménages pauvres ou des personnes avares.

Dans les immeubles dotés d'un ascenseur (lift), le mal n'est que mi, mais l'ascenseur (lift) est rare dans nos bâtisses françaises,
20 surtout dans celles où s'abritent le prolétariat, la menue bourgeoisie et la toute petite administration.

Pauvres gens qui trimez tout le jour, c'est votre lot à vous, chaque soir, accomplie la rude besogne, de grimper, à l'exemple

16

as used
for H.O.

du divin Sauveur, votre quotidien calvaire, cependant que de
gras oisifs, d'opulents exploiteurs n'ont qu'un bouton à pousser
pour regagner, mollement assis, leurs somptueux entresols! _between 1st &_
2nd floor

La voilà, la justice sociale! La voilà bien!

. . . On m'a présenté, dernièrement, un monsieur qui a trouvé   5
un moyen fort ingénieux pour remédier à ce déplorable état de
choses.

Simple employé dans la *Compagnie générale d'Assurances contre
Moisissure,* cet individu, auquel ses appointements ne permettent
qu'un humble sixième étage, est atteint d'une vive répulsion 10
pour les escaliers; tellement vive, cette répulsion, qu'elle frise
la *phobie!*

17

Alors, notre homme a imaginé un truc fort ingénieux pour s'éviter la formalité de ses quatre-vingts marches.

Avec l'assentiment du propriétaire, il a organisé à l'une de ses fenêtres un appareil assez semblable à celui dont on se sert pour
5 tirer l'eau du puits: une forte poulie, une solide corde, et, aux bouts de la solide corde, deux robustes paniers pouvant contenir chacun une personne.

Sur le coup de sept heures et demie ou huit heures, selon qu'il a bu deux ou trois absinthes, l'employé de la *Compagnie générale*
10 *d'Assurances contre la Moisissure* arrive au pied de sa maison.

Un coup de sifflet! Une fenêtre s'ouvre; au bout d'une corde, un panier descend jusqu'au sol.

L'homme s'installe dans le panier.

Second coup de sifflet! C'est alors au tour de la bourgeoise
15 d'enjamber le balcon et de s'installer dans l'autre panier.

Comme le poids de la dame est inférieur à celui du monsieur, il ne se passe rien tant que l'aîné des garçons n'a pas ajouté à sa maman un poids supplémentaire.

Ce poids est représenté par une lourde pendule Empire, qui
20 suffit à rompre l'équilibre.

Dès lors, le panier de la dame descend, cependant que monte celui du monsieur.

Ce dernier peut ainsi regagner son appartement sans la moindre fatigue.

25 La femme n'a plus qu'à remonter les six étages par l'escalier, tenant dans ses bras la pendule Empire, à laquelle elle doit faire bien attention, car son mari y tient énormément.

ALPHONSE ALLAIS
Les Templiers
LES ÉDITIONS DES QUATRE-VENTS

Le pauvre bougre et le bon génie

IL y avait une fois un pauvre Bougre... Tout ce qu'il y avait de plus calamiteux en fait de pauvres Bougres.

Sans relâche ni trêve, la guigne, une guigne affreusement verdâtre, s'était acharnée sur lui, une de ces guignes comme on n'en compte pas trois dans le siècle le plus fertile en guignes. 5

Ce matin-là, il avait réuni les sommes éparses dans les poches de son gilet.

Le tout constituait un capital de 1 fr. 90 (un franc quatre-vingt-dix).

C'était la vie aujourd'hui. Mais demain? Pauvre Bougre! 10

Alors, ayant passé un peu d'encre sur les blanches coutures de sa redingote, il sortit, dans la fallacieuse espérance de *trouver de l'ouvrage.*

Cette redingote, jadis noire, avait été peu à peu transformée par le Temps, ce grand teinturier, en redingote verte, et le 15 pauvre Bougre, de la meilleure foi du monde, disait maintenant: *Ma redingote verte.*

Son chapeau, qui lui aussi avait été noir, était devenu rouge (apparente contradiction des choses de la Nature!)

Cette redingote verte et ce chapeau rouge se faisaient habile- 20 ment valoir.

Ainsi rapprochés complémentairement, le vert était plus vert, le rouge plus rouge, et, aux yeux de bien des gens, le pauvre Bougre passait pour un original chromomaniaque.

Toute la journée du pauvre Bougre se passa en chasses folles, en escaliers mille fois montés et descendus, en antichambres longuement hantées, en courses qui n'en finiront jamais. Et tout cela pour pas le moindre résultat.

5 Pauvre Bougre!

Afin d'économiser son temps et son argent, il n'avait pas déjeuné!

(Ne vous apitoyez pas, c'était son habitude.)

Sur les six heures, n'en pouvant plus, le pauvre Bougre
10 s'affala devant un guéridon de mastroquet des boulevards extérieurs.

Un bon caboulot qu'il connaissait bien, où pour quatre sous on a la meilleure absinthe du quartier.

Pour quatre sous, pouvoir *se coller un peu de paradis dans la*
15 *peau,* comme disait feu Scribe, ô joie pour les pauvres Bougres!

Le nôtre avait à peine trempé ses lèvres dans le béatifiant liquide, qu'un étranger vint s'asseoir à la table voisine.

Le nouveau venu, d'une beauté surhumaine, contemplait avec une bienveillance infinie le pauvre Bougre en train d'en-
20 gourdir sa peine à petites gorgées.

— Tu ne parais pas heureux, pauvre Bougre? fit l'étranger d'une voix si douce qu'elle semblait une musique d'anges.

— Oh non . . . pas des tas!

— Tu me plais beaucoup, pauvre Bougre, et je veux faire ta félicité. Je suis un bon Génie. Parle . . . Que te faut-il pour être parfaitement heureux?

— Je ne souhaiterais qu'une chose, bon Génie, c'est d'être   5
assuré d'avoir cent sous par jour jusqu'à la fin de mon existence.

— Tu n'es vraiment pas exigeant, pauvre Bougre! Aussi ton souhait va-t-il être immédiatement exaucé.

Être assuré de cent sous par jour! Le pauvre Bougre rayonnait.   10

Le bon Génie continua:

— Seulement, comme j'ai autre chose à faire que de t'apporter tes cent sous tous les matins et que je connais le compte exact de ton existence, je vais te donner tout ça en bloc.

Tout ça en bloc!   15

Apercevez-vous d'ici la tête du pauvre Bougre!

Tout ça en bloc!

Non seulement il était assuré de cent sous par jour, mais dès maintenant il allait toucher tout ça . . . en bloc!

Le bon Génie avait terminé son calcul mental.   20

— Tiens, voilà ton compte, pauvre Bougre!

Et il allongea sur la table 7 fr. 50 (sept francs cinquante).

Le pauvre Bougre, à son tour, calcula le laps que représentait cette somme.

Un jour et demi!   25

N'avoir plus qu'un jour et demi à vivre! Pauvre Bougre!

— Bah! murmura-t-il, j'en ai vu bien d'autres.

Et, prenant gaiement son parti, il alla manger ses 7 fr. 50 avec des danseuses.

ALPHONSE ALLAIS
Les Templiers
LES ÉDITIONS DES QUATRE-VENTS

Une bien bonne

NOTRE cousin Rigouillard était ce qu'on appelle un drôle de corps, mais comme il avait une rondelette petite fortune, toute la famille lui faisait bonne mine, malgré sa manière excentrique de vivre.

Où l'avait-il ramassée, cette fortune, voilà ce qu'on aurait été bien embarrassé d'expliquer clairement.

Le cousin Rigouillard était parti du pays, très jeune, et il était revenu, un beau jour, avec des colis innombrables qui recélaient les objets les plus hétéroclites, autruches empaillées, pirogues canaques, porcelaines japonaises, etc.

Il avait acheté une maison avec un petit jardin, non loin de chez nous, et c'est là qu'il vieillissait tout doucement et tout gaiement, s'occupant à ranger ses innombrables collections et à faire mille plaisanteries à ses voisins et aux voisins des autres.

C'est surtout ce que lui reprochaient les gens graves du pays: Un homme de cet âge-là s'amuser à d'aussi puériles facéties, est-ce raisonnable?

Moi qui n'étais pas un *gens grave* à cette époque-là, j'adorais mon vieux cousin qui me semblait résumer toutes les joies modernes.

Le récit des blagues qu'il avait faites en son jeune temps me plongeait dans les délices les plus délirantes et, bien que je les connusse toutes à peu près par cœur, j'éprouvais un plaisir toujours plus vif à me les entendre conter, et reconter.

— Et toi, me disait mon cousin, as-tu fait des blagues à tes pions aujourd'hui?

Hélas, si j'en faisais! C'était une dominante préoccupation (j'en rougis encore) et une journée passée sans que j'eusse berné un pion ou un professeur me paraissait une journée perdue.

Un jour, à la classe d'histoire, le maître me demande le nom

22

Une bien bonne

d'un fermier général. Je fais semblant de réfléchir profondément et je lui réponds avec une effroyable gravité:

— Cincinnatus!

Toute la classe se tord dans des spasmes fous de gaieté sans borne. Seul, le professeur n'a pas compris. La lumière pourtant se fait dans son cerveau, à la longue. Il entre dans un accès d'indignation et me congédie illico, avec un stock de pensums capable d'abrutir le cerveau du gosse le mieux trempé.

Mon cousin Rigouillard, à qui je contai cette aventure le soir même, fut enchanté de ma conduite, et son approbation se manifesta par l'offrande immédiate d'une pièce de cinquante centimes toute neuve.

Rigouillard avait la passion des collections archéologiques, mais il éprouvait une violente aversion pour les archéologues, tout cela parce que sa candidature à la Société d'archéologie avait été repoussée à une énorme majorité.

On ne l'avait pas trouvé assez sérieux.

— L'archéologie est une belle science, me répétait souvent mon cousin, mais les archéologues sont de rudes moules.

Il réfléchissait quelques minutes et ajoutait en se frottant les mains:

— D'ailleurs, je leur en réserve une ... une bonne ... une bien bonne même!

Et je me demandais quelle bien bonne blague mon cousin pouvait réserver aux archéologues.

Quelques années plus tard, je reçus une lettre de ma famille. Mon cousin Rigouillard était bien malade et désirait me voir.

J'arrivai en grande hâte.

— Ah! te voilà, petit, je te remercie d'être venu; ferme la porte, car j'ai des choses très graves à te dire.

Je poussai le verrou, et m'assis près du lit de mon cousin.

— Il n'y a que toi, continua-t-il, qui me comprennes, dans la famille; aussi c'est toi que je vais charger d'exécuter mes dernières volontés ... car je vais bientôt mourir.

— Mais non, mon cousin, mais non ...

23

— Si, je sais ce que je dis, je vais mourir, mais, en mourant, je veux faire une blague aux archéologues, une bonne blague!

Et mon cousin frottait gaiement ses mains décharnées.

— Quand je serai claqué, tu mettras mon corps dans la grande armure chinoise qui est dans le vestibule en bas, celle qui te faisait si peur quand tu étais petit.

— Oui, mon cousin.

— Tu enfermeras le tout dans le cercueil en pierre qui se trouve dans le jardin, tu sais . . . le cercueil gallo-romain!

— Oui, mon cousin.

— Et tu glisseras à mes côtés cette bourse en cuir qui contient ma collection de monnaies grecques; c'est comme ça que je veux être enterré.

— Oui, mon cousin.

— Dans cinq ou six cents ans, quand les archéologues du temps me déterreront, crois-tu qu'ils en feront une gueule, hein! Un guerrier chinois avec des pièces grecques dans un cercueil gallo-romain?

Et mon cousin, malgré la maladie, riait aux larmes, à l'idée de la *gueule* que feraient les archéologues, dans cinq cents ans.

— Je ne suis pas curieux, ajoutait-il, mais je voudrais bien lire le rapport que ces imbéciles rédigeront sur cette découverte.

Peu de jours après, mon cousin mourut.

Le lendemain de son enterrement, nous apprîmes que toute sa fortune était en viager. Ce détail contribua à adoucir fortement les remords que j'ai de n'avoir pas glissé dans le cercueil en pierre la collection de monnaies grecques (la plupart en or).

Autant que ça me profite à moi, me suis-je dit, qu'à des archéologues pas encore nés.

ALPHONSE ALLAIS
Les Templiers
LES ÉDITIONS DES QUATRE-VENTS

24

ANDRÉ MAUROIS

ANDRÉ MAUROIS

La carte postale

J'AVAIS quatre ans, dit Nathalie, quand ma mère quitta mon père pour épouser ce bel Allemand. J'aimais beaucoup papa, mais il était faible et résigné; il n'insista pas pour me garder à Moscou. Bientôt, contre mon gré, j'admirai mon
5 beau-père. Il montrait pour moi de l'affection. Je refusais de l'appeler Père; on finit par convenir que je le nommerais Heinrich, comme faisait ma mère.

Nous restâmes trois années à Leipzig, puis maman dut revenir à Moscou pour arranger quelques affaires. Elle appela mon
10 père au téléphone, eut avec lui une conversation assez cordiale et lui promit de m'envoyer passer une journée chez lui. J'étais émue, d'abord de le revoir, et aussi de retrouver cette maison où j'avais tant joué et dont je gardais un merveilleux souvenir.

Je ne fus pas déçue. Le suisse devant la porte, la grande
15 cour pleine de neige ressemblaient aux images de ma mémoire. Quant à mon père, il avait fait des efforts immenses pour que cette journée fût parfaite. Il avait acheté des jouets neufs, commandé un merveilleux déjeuner et préparé pour la nuit tombante un petit feu d'artifice dans le jardin.
20 Papa était un homme très bon, mais d'une maladresse infinie. Tout ce qu'il avait organisé avec tant d'amour échoua. Les jouets neufs ne firent qu'aviver mes regrets de jouets anciens que je réclamai et qu'il ne put retrouver. Le beau déjeuner, mal préparé par des domestiques que ne surveillait plus aucune
25 femme, me rendit malade. Une des fusées du feu d'artifice

26

pourquoi

tomba sur le toit, dans la cheminée de mon ancienne chambre et mit le feu à un tapis. Pour éteindre ce commencement d'incendie, toute la maison dut faire la chaîne avec des seaux et mon père se brûla une main, de sorte que ce jour qu'il avait voulu si gai me laissa le souvenir de flammes terrifiantes et de l'odeur ₅ triste des pansements.

Quand le soir ma Fräulein vint me rechercher, elle me trouva en larmes. J'étais bien jeune, mais je sentais avec force les nuances de sentiments. Je savais que mon père m'aimait, qu'il avait fait de son mieux et qu'il n'avait pas réussi. Je le plaignais ₁₀ et, en même temps, j'avais un peu honte de lui. Je voulais lui cacher ces idées, j'essayais de sourire et je pleurais.

Au moment du départ, il me dit que c'était l'usage en Russie de donner à ses amis, pour Noël, des cartes ornées, qu'il en avait acheté une pour moi et qu'il espérait qu'elle me plairait. Quand ₁₅ je pense aujourd'hui à cette carte, je sais qu'elle était affreuse. En ce temps-là j'aimais, je crois, cette neige pailletée faite de

27

borate de soude, ces étoiles rouges collées derrière un transparent bleu de nuit et ce traîneau qui, mobile sur une charnière de carton, semblait galoper hors de la carte. Je remerciai papa, je l'embrassai et nous nous séparâmes. Depuis il y a eu la Révolution et je ne l'ai jamais revu.

Ma Fräulein me ramena jusqu'à l'hôtel où étaient ma mère et mon beau-père. Ils s'habillaient pour dîner chez des amis. Maman, en robe blanche, portait un grand collier de diamants. Heinrich était en habit. Ils me demandèrent si je m'étais amusée. Je dis sur un ton de défi que j'avais passé une journée admirable et je décrivis le feu d'artifice sans dire un seul mot de l'incendie. Puis, sans doute comme preuve de la magnificence de mon papa, je fis voir ma carte postale.

Ma mère la prit et, tout de suite, éclata de rire:

— Mon Dieu! dit-elle. Ce pauvre Pierre n'a pas changé... Quelle pièce pour le musée des Horreurs!

Heinrich, qui me regardait, se pencha vers elle, le visage fâché:

— Allons, dit-il à voix basse, allons... Pas devant cette petite.

Il prit la carte des mains de ma mère, admira en souriant les paillettes de neige, fit jouer le traîneau sur sa charnière et dit:

— C'est la plus belle carte que j'aie jamais vue; il faudra la garder avec soin.

J'avais sept ans, mais je savais qu'il mentait, qu'il jugeait comme maman cette carte affreuse, qu'ils avaient raison tous deux et que Heinrich voulait, par pitié, protéger mon pauvre papa.

Je déchirai la carte et c'est depuis ce jour que j'ai détesté mon beau-père.

ANDRÉ MAUROIS
Toujours l'inattendu arrive
ÉDITIONS DES DEUX-RIVES

ANDRÉ MAUROIS

La maison

IL y a deux ans, dit-elle, quand je fus si malade, je remarquai
que je faisais toutes les nuits le même rêve. Je me promenais
dans la campagne; j'apercevais de loin une maison blanche,
basse et longue, qu'entourait un bosquet de tilleuls. A gauche
de la maison, un pré bordé de peupliers rompait agréablement 5
la symétrie du décor, et la cime de ces arbres, que l'on voyait
de loin, se balançait au-dessus des tilleuls.

Dans mon rêve, j'étais attirée par cette maison et j'allais vers
elle. Une barrière peinte en blanc fermait l'entrée. Ensuite on
suivait une allée dont la courbe avait beaucoup de grâce. Cette 10
allée était bordée d'arbres sous lesquels je trouvais les fleurs du
printemps: des primevères, des pervenches et des anémones,
qui se fanaient dès que je les cueillais. Quand on débouchait de
cette allée, on se trouvait à quelques pas de la maison. Devant
celle-ci s'étendait une grande pelouse, tondue comme les gazons 15

29

anglais et presque nue. Seule y courait une bande de fleurs violettes.

La maison, bâtie de pierres blanches, portait un toit d'ardoises. La porte, une porte de chêne clair aux panneaux sculptés, était 5 au sommet d'un petit perron. Je souhaitais visiter cette maison, mais personne ne répondait à mes appels. J'étais profondément désappointée, je sonnais, je criais, et enfin je me réveillais.

Tel était mon rêve et il se répéta, pendant de longs mois, avec une précision et une fidélité telles que je finis par penser que 10 j'avais certainement, dans mon enfance, vu ce parc et ce château. Pourtant je ne pouvais, à l'état de veille, en retrouver le souvenir, et cette recherche devint pour moi une obsession si forte qu'un été, ayant appris à conduire moi-même une petite voiture, je décidai de passer mes vacances sur les routes de France, à la 15 recherche de la maison de mon rêve.

Je ne vous raconterai pas mes voyages. J'explorai la Normandie, la Touraine, le Poitou; je ne trouvai rien et n'en fus pas étonnée. En octobre je rentrai à Paris et, pendant tout l'hiver, continuai à rêver de la maison blanche. Au printemps 20 dernier, je recommençai mes promenades aux environs de Paris. Un jour, comme je traversais une vallée voisine de l'Isle-Adam, je sentis tout d'un coup un choc agréable, cette émotion curieuse que l'on éprouve lorsqu'on reconnaît, après une longue absence, des personnes ou des lieux que l'on a aimés.

25 Bien que je ne fusse jamais venue dans cette région, je connaissais parfaitement le paysage qui s'étendait à ma droite. Des cimes de peupliers dominaient une masse de tilleuls. A travers le feuillage encore léger de ceux-ci, on devinait une maison. Alors, je sus que j'avais trouvé le château de mes rêves. Je 30 n'ignorais pas que, cent mètres plus loin, un chemin étroit couperait la route. Le chemin était là. Je le pris. Il me conduisit devant une barrière blanche.

De là partait l'allée que j'avais si souvent suivie. Sous les arbres, j'admirai le tapis aux couleurs douces que formaient 35 les pervenches, les primevères et les anémones. Lorsque je débouchai de la voûte des tilleuls, je vis la pelouse verte et le petit perron, au sommet duquel était la porte de chêne clair. Je sortis de ma voiture, montai rapidement les marches et sonnai.

J'avais grand'peur que personne ne répondît, mais, presque tout de suite, un domestique parut. C'était un homme au visage triste, fort vieux et vêtu d'un veston noir. En me voyant, il parut très surpris, et me regarda avec attention, sans parler.

— Je vais, lui dis-je, vous demander une faveur un peu étrange. Je ne connais pas les propriétaires de cette maison, mais je serais heureuse s'ils pouvaient m'autoriser à la visiter.

— Le château est à louer, Madame, dit-il comme à regret, et je suis ici pour le faire visiter.

— A louer? dis-je. Quelle chance inespérée!... Comment les propriétaires eux-mêmes n'habitent-ils pas une maison si belle?

— Les propriétaires l'habitaient, Madame. Ils l'ont quittée depuis que la maison est hantée.

— Hantée? dis-je. Voilà qui ne m'arrêtera guère. Je ne savais pas que, dans les provinces françaises, on croyait encore aux revenants...

— Je n'y croirais pas, Madame, dit-il sérieusement, si je n'avais moi-même si souvent rencontré dans le parc, la nuit, le fantôme qui a mis mes maîtres en fuite.

— Quelle histoire! dis-je en essayant de sourire.

— Une histoire, dit le vieillard d'un air de reproche, dont vous au moins, Madame, ne devriez pas rire, puisque ce fantôme, c'était vous.

vrai

ANDRÉ MAUROIS
Toujours l'inattendu arrive
ÉDITIONS DES DEUX-RIVES

31

ANDRÉ MAUROIS

Irène

JE suis contente de sortir avec vous ce soir, dit-elle. La
semaine a été dure. Tant de travail et tant de déceptions . . .
Mais vous êtes là, je n'y pense plus . . . Écoutez . . . Nous
allons voir un merveilleux film . . .

5 — Ne croyez pas, dit-il d'un air boudeur, que vous me
traînerez ce soir au cinéma.

— C'est dommage, dit-elle . . . Je me réjouissais de voir ce
film avec vous . . . Mais cela ne fait rien . . . Je connais à
Montparnasse, une boîte nouvelle où dansent de merveilleux
10 Martiniquais . . .

— Ah! non, dit-il avec force . . . Pas de musique noire,
Irène . . . J'en suis saturé.

— Et que voulez-vous faire? dit-elle.

— Vous le savez bien, dit-il . . . Dîner dans un petit restau-
15 rant tranquille, parler, rentrer chez vous, m'étendre sur un divan
et rêver.

32

— Eh bien! non! dit-elle à son tour ... Non! ... Vous êtes
vraiment trop égoïste, mon cher ... Vous semblez tout surpris? ... C'est que personne ne vous dit jamais la vérité ...
Personne ... Vous avez pris l'habitude de voir les femmes accepter vos désirs comme des lois. Vous êtes une sorte de sultan 5
moderne ... Votre harem est ouvert ... Il s'étend sur dix
pays ... Mais c'est un harem ... Les femmes sont vos es-
claves ... Et la vôtre plus que toutes les autres ... Si vous
avez envie de rêver, elles doivent vous regarder rêver. Si vous
avez envie de danser, elles doivent s'agiter. Si vous avez écrit 10
quatre lignes, elles doivent les écouter. Si vous avez envie
d'être amusé, elles doivent se changer en Schéhérazade ...
Encore une fois, non, mon cher! ... Il y aura au moins une
femme au monde qui ne se pliera pas à vos caprices ...

Elle s'arrêta et reprit, d'un ton plus doux: 15

— Quelle tristesse, Bernard! ... Je me réjouissais tant de
vous voir ... Je pensais que vous m'aideriez à oublier mes
ennuis ... Et vous arrivez, ne pensant qu'à vous ... Allez-
vous-en ... Vous reviendrez quand vous aurez appris à tenir
compte de l'existence des autres. 20

* * *

Toute la nuit, étendu sans dormir, Bernard médita tristement.
Irène avait raison. Il était odieux. Pourquoi était-il ainsi fait?
Pourquoi ce besoin de conquête et de domination? Pourquoi
cette impuissance à « tenir compte de l'existence des autres »?
Méditant sur son passé, il revit une jeunesse difficile, des femmes 25
inaccessibles. Il y avait de la revanche dans son égoïsme, de la
timidité dans son cynisme. Ce n'était pas un sentiment très
noble.

« Noble? pensa-t-il ... Je tombe dans les platitudes. » Il
fallait être dur. En amour, qui ne dévore pas est dévoré. Tout 30
de même, ce devait être une délivrance parfois que de céder,
d'être enfin le plus faible, de chercher son bonheur dans celui
d'une autre.

33

Isolées, séparées par des silences de plus en plus longs, les dernières voitures regagnaient les garages... Chercher son bonheur dans celui d'une autre? Ne le pouvait-il pas? Qui l'avait
condamné à la cruauté? Tout homme n'a-t-il pas le droit, à
5 chaque moment de recommencer sa vie? Et pouvait-il, pour
ce rôle nouveau, trouver meilleur partenaire qu'Irène? Irène si
touchante, avec son unique robe du soir, ses bas reprisés, son
manteau râpé. Irène si belle et si pauvre. Si généreuse dans sa
pauvreté. Dix fois il l'avait surprise secourant des étudiants
10 russes, plus pauvres qu'elle, et qui, sans elle, seraient morts de
faim. Elle travaillait six jours par semaine dans un magasin,
elle qui, avant la Révolution, avait été élevée en fille princière.
Elle n'en parlait jamais... Irène... Comment avait-il pu
lui marchander les plaisirs naïfs d'un soir de liberté?
15 Bruyant, faisant trembler les vitres, le dernier autobus passa.
Maintenant aucun bruit ne couperait plus le trait continu de la
nuit. Las de lui-même, Bernard chercha le sommeil. Soudain
une grande paix le baigna. Il avait pris une résolution. Il se
consacrerait au bonheur d'Irène. Il serait pour elle un ami tendre,

prévenant, soumis. Oui, soumis. Cette décision le calma si
bien qu'il s'endormit presque tout de suite.

*   *   *

Le lendemain matin, quand il se réveilla, il était encore tout
heureux. Il se leva et s'habilla en chantant, ce qui ne lui était
pas arrivé depuis son adolescence. « Ce soir, pensa-t-il, j'irai 5
voir Irène, lui demander mon pardon. »

Comme il nouait sa cravate, le téléphone sonna.

— Allo! dit la voix chantante d'Irène . . . C'est vous, Bernard? . . . Écoutez . . . Je n'ai pas pu dormir. J'étais pleine de
remords . . . Comme je vous ai traité, hier soir . . . Il faut me 10
pardonner . . . Je ne sais ce que j'avais . . .

— Au contraire, c'est moi, dit-il . . . Irène, toute la nuit, je
me suis juré de changer.

— Quelle folie, dit-elle, surtout ne changez pas . . . Ah!

35

Non! Ce qu'on aime en vous, Bernard, c'est justement ces caprices, ces exigences, ce caractère d'enfant gâté ... C'est si agréable, un homme qui vous oblige à faire des sacrifices ... Je voulais vous dire que je suis libre ce soir et que je ne vous im-
5 poserai aucun programme ... Disposez de moi ...

Bernard, en raccrochant le récepteur, secoua la tête avec tristesse.

ANDRÉ MAUROIS
Toujours l'inattendu arrive
ÉDITIONS DES DEUX-RIVES

JEAN BOUVIER

JEAN BOUVIER

Le billet de loterie

MONSIEUR et Madame Lerond, anciens concierges à Paris, s'étaient retirés au village de Saint-Orthaire, dans les environs de Pont-sur-Soule, pour y vivre de leurs rentes.

Bien que modestes, ces rentes leur suffisaient, car leurs goûts
5 étaient simples, leurs désirs restreints et la plus stricte économie réglait leur budget.

Mme Lerond cachait cependant une ambition, celle d'acquérir une voiturette automobile, afin de se rendre plus aisément au marché de la ville voisine et de sortir plus souvent de son trou.
10 Jugez de son émoi, quand elle apprit, un beau matin, que cette ambition pouvait se réaliser . . .

Le *Journal du Cotentin* annonçait une loterie organisée par la municipalité de Pont-sur-Soule, pour venir en aide aux pauvres du pays. Parmi les gros lots figurait une ravissante voiturette à
15 deux places, munie de toutes les perfections modernes, juste ce qu'elle désirait.

— Il faut tenter la chance, dit-elle à son mari. Les billets sont un peu chers à 25 fr., mais nous n'en prendrons qu'un seul.

L'ancien concierge objecta qu'avec un seul billet sur cinquante
20 mille, l'espoir d'un gain se réduisait presque à néant.

Mais sa femme assura:

— On a ou on n'a pas de veine. Moi j'en ai. Ma confiance est entière. Je gagnerai la voiturette, à une seule condition: celle de pouvoir choisir mon billet.

Et elle expliqua:

—Je n'ai pas joué souvent, parce que nos petits moyens ne le permettaient pas, mais souviens-toi ... Aux loteries foraines et à la roulette du casino de Coutainville, l'an dernier, j'ai toujours décroché la timbale ... 5

— C'est, ma foi, vrai!

— Tu ne sais pas pourquoi? ... Eh bien! voilà. Je prends toujours le numéro qui correspond à mon âge exact et ce numéro sort. Si je procède autrement, il n'y a rien de fait. Tu me diras que c'est de la superstition, de la folie ... N'importe! 10

—Je ne dirai rien du tout, répond M. Lerond, mais pour choisir le numéro de ton âge: quarante-huit ans ...

— Hélas! gémit Mme Lerond.

— Il faudrait d'abord pouvoir mettre la main dessus.

— La chose ne me paraît pas si compliquée. Je suppose que 15 M. Robin, le secrétaire de la mairie de Pont-sur-Soule, ton ami d'enfance, pourra sans doute nous rendre ce léger service ... N'est-il pas chargé de la distribution des billets?

— Probablement ...

— Alors, écris-lui tout de suite de m'en réserver le choix dans 20 la première centaine. Je me rendrai à la ville sitôt sa réponse.

M. Lerond rédigea sa lettre séance tenante.

La réponse parvint par retour du courrier.

Le secrétaire de la mairie attendait la visite de Mme Lerond et la priait de ne la point différer. Les demandes affluaient déjà. 25 On ne pouvait réserver trop longtemps une série de numéros au choix, sans risquer de mécontenter le public ...

Mme Lerond ne songeait pas à tergiverser. Son espoir restait certain. Elle se voyait déjà en possession de la voiturette et bâtissait mille projets sur l'usage qu'elle comptait en faire, le 30 profit qu'elle en voulait tirer.

Sitôt débarquée en ville, elle se rendit à la mairie et se fit introduire dans le cabinet du secrétaire.

M. Robin la reçut avec la plus grande courtoisie.

— Chère madame, lui dit-il, vous me trouvez très heureux 35

de pouvoir vous donner satisfaction. Voici notre première liste de billets. Remarquez bien que les numéros se succèdent de zéro à cinquante.

Il ajouta en souriant:

5 — Inutile d'aller plus loin, n'est-il pas vrai?

— Pourquoi donc? demanda Mme Lerond.

Le secrétaire accentua l'amabilité de son sourire.

— Pardonnez-moi l'indiscrétion ... Mon vieil ami Lerond m'a confié dans sa lettre votre secret désir. L'idée m'en a paru
10 fort originale ... Une idée de jolie femme ... Ponter sur son âge!

Mme Lerond tressaillit et rougit comme une pivoine, cependant, M. Robin concluait:

— Quel numéro désirez-vous?

15 — Le numéro trente-huit, prononça-t-elle en exhalant un long soupir ...

— Tous mes compliments et tous mes vœux, madame, dit encore le secrétaire en remettant le billet.

Elle sortit de la mairie dans un état d'esprit impossible à décrire
20 et repartit immédiatement pour Saint-Orthaire.

Dès son arrivée, son mari lui demanda:

— As-tu bien choisi ton numéro de loterie?

Elle haussa les épaules et négligea de lui répondre. Il ne s'en inquiéta pas, car il la savait d'humeur aussi changeante que la
25 couleur du temps.

Les jours passèrent, Mme Lerond restait inquiète et mélancolique au grand étonnement de son mari.

Cependant, elle ne lui faisait pas de confidence et s'il cherchait à parler de la loterie, elle détournait la conversation.

30 Il en parlait néanmoins parce que la confiance l'envahissait à mesure que se rapprochait la date du tirage.

— C'est couru, affirmait-il. Le numéro 48 gagnant la voiturette m'apparaît en rêve et mes rêves ne m'ont jamais trompé.

A son tour, il échafaudait des projets et concluait:

35 — Pour 25 francs, nous épaterons le pays!

Le billet de loterie

Le jour du tirage, M. Lerond attendit le journal avec joyeuse impatience. Sa femme s'était retirée dans sa chambre, sous prétexte qu'une atroce migraine lui tenaillait le cerveau.

Il ne s'en étonna pas, car sur les tempéraments de femmes nerveuses, un excès de joie agit avec autant de violence qu'un gros chagrin.

Le facteur lui apporta le *Journal du Cotentin,* à l'heure habituelle.

Il en déchira la bande, l'ouvrit, le parcourut des yeux et poussa un cri:

Le numéro 48 avait gagné la voiturette. La chance avait été fidèle à Mme Lerond.

Sans hésiter, il se précipita dans la chambre de sa femme.

— Ça y est, ma chère amie. Ton numéro est sorti . . .

Elle releva lentement son visage enfoui dans les coussins d'une chaise longue et jeta sur son mari un regard furieux.

— Imbécile, s'écria-t-elle.

L'ancien concierge en resta quinaud. Il insista néanmoins:

— Voici le journal . . . Regarde! . . . Le numéro 48 gagne la voiturette. C'est imprimé!

— Inutile! Je n'ai pas gagné et c'est de ta faute . . .

— De ma faute!

— Parfaitement! répéta-t-elle. Tu as écrit à M. Robin que je voulais miser sur mon âge . . . Alors, devant lui, au moment de choisir le billet, j'ai manqué de courage, je n'ai pas osé . . . J'ai voulu me rajeunir et j'ai pris le numéro 38, tout bêtement.

JEAN BOUVIER
Le Petit Parisien

41

JEAN BOUVIER

L'arrestation

LORSQUE Mme Roux pénétra dans le bureau de la gendarmerie de Saint-Ornain-sur-Dives, le brigadier Rabot et
son subordonné, le gendarme Drouet, fumaient béatement
leurs pipes sans penser à mal.

5   Mme Roux frisait la soixantaine et était avantageusement
connue dans le pays, car elle y possédait du bien au soleil.

Le brigadier Rabot ôta sa pipe de sa bouche et en secoua les
cendres sur le talon de sa botte avant de lui demander poliment:

— Qu'est-ce qu'il y a pour votre service, madame Roux?

10   La vieille rentière répondit avec une visible émotion:

— Il se passe d'étranges choses dans une maison que j'ai louée
le mois dernier à deux « horzains », monsieur le brigadier.

La maison en question se trouve en face de celle que j'habite.
Ça vous prouve que je puis avoir l'œil. Quant aux deux « hor-
15   zains », ils s'appellent d'un drôle de nom: M. et Mme Fire ...
C'est la dame, une petite brune, qui s'est occupée de la location
pour la saison d'été. L'homme, un grand sec et de mauvaise
figure sous des cheveux filasse, n'a pas pipé mot, mais il a payé
recta d'avance. L'affaire est réglée sur ce point, n'est-il pas vrai?

20   — En effet. Jusqu'à plus ample informé, madame Roux, je
ne vois là-dedans rien de suspect, à part que les individus sont
des « horzains » ou comme qui dirait des étrangers au pays.

— Attendez! Sitôt installée, la petite dame Fire avait pris
l'habitude de sortir, matin et soir, pour s'en aller aux provisions,
25   aux commissions, bref à ses affaires de ménage. Rien de plus
naturel. J'ajoute que son mari, le grand sec à face de carême, ne

42

bougeait pas d'une semelle et que je ne l'apercevais jamais même à la fenêtre ouverte ou derrière les rideaux des vitres . . . J'avais beau espionner, bernique! . . . Voilà qui n'était pas naturel . . .

— Conséquemment, madame Roux, conséquemment . . .

— Eh bien! vous saurez maintenant que depuis trois jours la petite dame a disparu. Où est-elle passée? Je n'en sais rien et bien malin qui pourrait le deviner. La maison semble vide, la porte reste close. On ne voit pas une ombre, on n'entend pas un bruit. C'est épouvantable! Qu'est-ce que vous en pensez?

— Je n'en pense rien, madame Roux.

— Moi, j'en suis arrivée à imaginer que M. Fire a probablement zigouillé sa femme pour expédier son cadavre dans une malle, le jeter par morceaux dans la rivière ou le brûler à petit feu dans son fourneau de cuisine. Ne voit-on pas tous les jours de pareilles horreurs dans les journaux?

Le brigadier tortilla longtemps sa moustache avant de prononcer:

— Nonobstant la preuve du contraire, on pourrait y aller voir . . . N'est-ce pas, Drouet?

Le gendarme Drouet se leva d'un bloc, réunit les talons et répondit d'une voix de tonnerre:

— A vos ordres, brigadier!

Les deux représentants de la loi s'armèrent de leurs revolvers, accrochèrent leurs sabres au ceinturon, se munirent d'une paire de menottes et suivirent Mme Roux, heureuse de leur servir de guide.

La population alarmée et stupéfaite les vit défiler dans la grand'rue, traverser la place de l'Église, se diriger vers l'extrémité de la bourgade et s'arrêter devant la maison des « horzains ».

Là, Mme Roux fit remarquer:

— Silence et mystère! Vous pouvez constater. Ça sent le crime à plein nez.

Le brigadier aspira fortement la brise qui sentait plutôt le foin sec des herbages.

— On va voir à voir . . . murmura-t-il.

43

Sa main, gantée de peau blanche, fit carillonner la sonnette, une fois, deux fois, trois fois, comme un crescendo violent.

Comme personne ne répondait, il s'écria:

— Ouvrez, au nom de la loi!

5   Puis, comme son ordre restait vain, il envoya le gendarme Drouet réquisitionner le serrurier.

Mme Roux ne cessait de répéter:

— On va trouver le cadavre de la petite dame en cendres ou en bouillie, quelle affaire!

10   Quand le serrurier revint avec Drouet, le brigadier n'avait plus aucun doute. Il tenait un crime, un criminel et, sans doute, un galon de plus... *another strip*

La porte fut crochetée en un tour de main.

La maréchaussée, suivie de Mme Roux et du serrurier, pénétra

15   dans la maison.

On visita la salle à manger et la cuisine sans rencontrer personne... Mais l'ordre le plus parfait régnait dans ces deux pièces.

44

Mme Roux expliqua:

— L'assassin a eu le temps de tout remettre en place.

Le brigadier approuva et pénétra dans une sorte de petit salon, où un individu de haute taille, à la face glabre et aux cheveux fades lisait tranquillement son journal.   5

— C'est lui! susurra Mme Roux en se reculant.

Le « horzain » semblait tellement absorbé dans sa lecture qu'il ne comprit pas la première question du brigadier.

— Monsieur Fire, qu'avez-vous fait de votre femme?

Cependant, il avait l'air tellement ahuri, sa physionomie ex- 10 primait un tel désarroi que le gendarme Drouet n'hésita pas à lui passer les menottes.

— Où est votre femme? répéta le brigadier.

M. Fire secoua la tête, se tortilla, agita ses mains chargées de chaînes et bégaya: 15

— I am deaf. Let me be quiet. Let me go!

— Qu'est-ce qu'il raconte là? demanda le gendarme Drouet.

45

— Il vous traite de nigauds ... Son compte est bon! s'écria le brigadier. En attendant, puisqu'il ne veut pas dire où est sa femme, ouste! je l'emmène au bloc.

M. Fire se laissa emmener sans résistance. Dans la rue, un
5 rassemblement de badauds le hua sans pitié.

— A mort l'assassin! à mort!

Il ne sourcillait pas et ne semblait même pas entendre. Le gendarme Drouet et le serrurier le tenaient solidement chacun par un bras. Le brigadier marchait devant, sabre au clair ...
10 Mme Roux suivait toujours.

A ce moment, une petite dame brune se précipita, fendant la foule avec des gestes éperdus.

Tout le monde la reconnut, c'était Mme Fire.

Quelle surprise!

15 — Mon mari! s'écria-t-elle ... Pourquoi arrêtez-vous mon mari?

Le brigadier s'immobilisa, salua militairement et déclara:

— *Primo,* d'abord, en conséquence de ce que Mme Roux, propriétaire, ici présente, prétendait que votre mari vous avait
20 assassinée et coupée en morceaux pour vous incinérer dans un fourneau de cuisine. *Secundo,* pour ce fait que j'ai sonné à sa porte avec énergie et qu'il n'a pas obtempéré. *Tertio,* rapport à ce que je lui ai demandé où vous étiez, et qu'il n'a pas répondu. Enfin qu'il nous a insultés en charabia, et, notamment, traités de
25 nigauds.

Mme Fire leva les bras au ciel.

— J'arrive de voyage, et je descends du train à la minute, expliqua-t-elle. Quant à mon mari, rendez-le-moi bien vite, monsieur le brigadier, le pauvre homme est tout simplement de
30 nationalité anglaise et sourd comme un pot.

JEAN BOUVIER
Le Petit Parisien

MICHELLE MAUROIS

Arithmétique

M AIS enfin, cher ami, êtes-vous sûr de ne pas prendre cette décision un peu rapidement? Un divorce est chose sérieuse: il y a vingt ans que Lydia et vous êtes mariés!

— Il y avait vingt ans, dit-il, en soupirant . . . et ma femme
5 ne se nomme plus Lydia, mais Caroline.

— Caroline? Je ne comprends pas.

— Elle a changé de nom et exige que même moi, je l'appelle Caroline.

— Ce n'est pas grave, dites-lui: chérie! . . . Je me souviens
10 pourtant comme vous vous aimiez!

— Elle a oublié cet amour.

— Mais c'est donc elle qui veut vous quitter?

— Non, c'est moi qui suis à bout.

— Vous ne l'aimez plus?

15 — Si, enfin non; pas exactement . . . Je ne suis plus tout à fait sûr que ce soit elle.

— Mon cher, vous m'inquiétez.

— Et elle ne sait plus si elle est elle-même.

— Je ne me sens pas douée aujourd'hui: je ne saisis pas vos
20 propos sibyllins.

— Je vais tout vous expliquer: Caroline ou, si vous préférez, Lydia, a voulu à tout prix se rajeunir.

— Les trois quarts des femmes en sont là.

— Peut-être, mais cela ne les entraîne pas à de telles extré-
mités! Elles suppriment cinq ans, dix ans, mais pas vingt ans.

— Elle s'est rajeunie de vingt ans? Est-elle encore majeure?

— A peine: Caroline, je veux dire, Lydia a quarante-deux
ans et n'en veut paraître que vingt-deux. Je dois dire qu'elle 5
n'y réussit pas trop mal, mais tout cela s'est passé en moins de
dix-huit mois. Elle s'est d'abord transformée: moi, je l'aimais
comme je l'avais épousée, avec son corps potelé, ses cheveux
cendrés, son nez un peu busqué . . . elle s'est faite blonde . . .
puis rousse . . . 10

— Nous avons toutes cette manie actuellement: Lydia n'est
de loin pas la seule.

— Attendez: ses cheveux sont maintenant aile de corbeau, ce
qui lui va aussi mal que possible, elle est maigre comme un clou
et son nez a été retaillé trois fois jusqu'à ce qu'il n'en reste qu'un 15
vestige. Ceci n'est rien, je m'y serais habitué, je l'aimais. A
travers tous ces avatars, je continuais à découvrir l'âme de Lydia,
quoique la réduction du nez ait été pour moi un choc. Mais
tout a commencé à se gâter le jour où elle s'est avisée que sa
mère était trop âgée pour avoir une fille de vingt ans: alors, elle 20
en a fait sa grand'mère, si bien que ses deux sœurs cadettes sont
devenues ses tantes.

— Mais votre fils?

— Voilà où le drame a vraiment éclaté: notre fils a dix-neuf
ans, cela ne pouvait évidemment durer. Il est devenu son frère, 25
mais ce pauvre enfant en a beaucoup souffert; depuis, il n'a
jamais osé inviter un camarade à la maison.

— Mais comment toute sa famille s'est-elle pliée à ces caprices?

— Cela semblait une manie inoffensive: Lydia est très gentille, personne ne voulait lui faire de la peine, et de plus, elle a 30
une volonté de fer. Il fallait suivre sa fantaisie ou renoncer à
elle.

— Elle a un cœur d'or. Ne pense-t-elle pas au chagrin qu'elle
peut faire?

— Tout disparaît devant cette folie. 35

— Mais les gens qui la connaissent depuis sa jeunesse ne peuvent pas être dupes.

— Bien sûr que non.   Cette comédie, au début, n'était
destinée qu'à tromper les étrangers, mais peu à peu, il a bien
5 fallu appliquer une règle unique.   Lydia a d'ailleurs presque
totalement cessé de fréquenter ses amis d'autrefois pour ne voir
que des gens nouveaux.   Elle ne pouvait pas, dans une réunion,
présenter le même jeune homme comme son frère et son fils.
Elle a également maquillé tous ses papiers d'identité.   Notre
10 mariage qui remonte à vingt ans a eu lieu . . . paraît-il, il y a
dix-huit mois.   L'autre jour, à la Préfecture où je faisais renouveler nos passeports, j'ai constaté avec épouvante que lorsque
je l'ai épousée, Lydia avait quatre ans.   Personne, Dieu merci,
ne s'en est aperçu.   Le nombre de mensonges et de complica-
15 tions que tout cela entraîne!   Et la moindre gaffe, le moindre
rappel du passé la met hors d'elle.   Si je dis: « Te souviens-tu,
chérie, comme ces modes d'il y a quinze ans t'allaient à ravir »,
elle me regarde avec des yeux ronds et me répond: « Moi,
j'avais sept ans. »

20 — Mais de quoi vous plaignez-vous?   Vous avez une femme
de vingt ans: vous en avez de la chance!

— Attendez!   Elle a fini par s'aviser que moi aussi, je la vieil-
lissais terriblement.   J'ai dix ans de plus qu'elle et ce quinquagénaire grisonnant pouvait difficilement passer pour son mari.
25 Un soir, alors que nous arrivions à un dîner chez des étrangers,
elle m'a présenté comme son père.

— Et vous l'avez laissé faire?

— J'ai été tellement suffoqué que je n'ai pas su réagir assez
vite et depuis ce jour-là, je suis resté son père . . .   Puis, peu à
30 peu, elle s'est mise à croire à ses inventions, à traiter sa mère avec
une charmante gaminerie de petite fille gâtée, à demander très
sérieusement à sa jeune sœur: « Vous, ma tante, qui avez tant
d'expérience, dites-moi comment on faisait autrefois le veau
marengo? »   Elle taquine son fils comme on blague un jeune
35 frère, avec brusquerie et sans tendresse, et pour moi, elle est

tout respect, toute admiration, obéissance même, mais que voulez-vous, je ne peux pas m'habituer au bout de vingt ans à traiter ma femme paternellement: bientôt elle me demandera de la conduire au bal pour la voir danser avec des jeunes gens . . . Moi aussi, sa folie me vieillit trop. Elle me vouvoie, me de- 5 mande de ménager mon cœur et m'envoie coucher avec une camomille.

J'avais épousé Lydia: Caroline ne m'est rien. Actuellement elle est ma fille: si j'attends dix ans, elle sera ma petite-fille.

MICHELLE MAUROIS
La table des matières
FLAMMARION

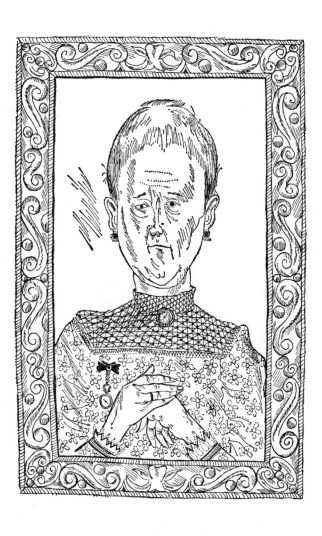

MICHELLE MAUROIS

Photographies

« Merci mon Dieu, de l'avoir rappelée à vous », disait Violette
en revenant de l'enterrement de sa belle-mère. Elle se domi-
nait pour ne pas monter l'escalier en dansant de joie avec son
voile noir qui lui couvrait les épaules et qu'elle serrait contre
elle comme une écharpe de tulle sur une robe de bal. 5

C'était peut-être monstrueux, mais quels efforts n'avait-elle
pas faits pendant le long défilé pour ne pas sourire, pour ne pas
répondre à ceux qui lui apportaient leur sympathie avec des
mines apitoyées: « Mais pourquoi ne me félicitez-vous pas plutôt? Quel événement plus heureux pouvais-je souhaiter? » Du 10
vivant de sa belle-mère, elle ne s'était pas rendu compte à quel
point elle la détestait: sa mort lui donnait la vraie mesure de sa
haine. Son unique souci était le chagrin de Georges, mais
avait-il une peine profonde? Aimait-il sa mère? Il la respectait,
lui obéissait, mais peut-être seulement parce qu'elle était sa mère 15
car personne d'autre que son fils n'aurait pu s'attacher à cette
femme sèche, méchante et sans âme.

Oui, la vieille dame s'était enfin décidée à quitter ce monde!
Ce visage que la mort n'avait pas adouci, Violette avait pu le
regarder, le fixer au moins une fois sans baisser les yeux, dans 20
cette chambre aux volets tirés, au milieu des cierges, des fleurs
et de la famille en prières. La jeune femme avec une figure impassible avait secrètement remporté sa première victoire depuis
qu'elle était entrée dans la maison.

Douze ans que Violette habitait là, humble, obéissante, sans ex- 25
istence personnelle, sans autre volonté que celle de sa belle-mère.
Georges l'avait prévenue au moment de leurs fiançailles: « Maman vivra avec nous. Elle est seule: la maison lui appartient,
il n'y a pas moyen de s'arranger autrement. Je souhaite que
vous deveniez de grandes amies. Et elle conservera la charge 30
du ménage dont elle s'acquitte à merveille, ce qui t'enlèvera
beaucoup de préoccupations. »

Violette, sans réaliser encore ce que signifiait cette vie à trois avait tout de même demandé:

— Mais alors nous ne prendrons jamais un repas seuls?

— Seuls! avait répondu Georges, mais pourquoi? Si tu as
5 des secrets à me dire, tu profiteras du moment où nous irons nous coucher.

— Oui, bien sûr, avait dit Violette vaincue. Violette aimait Georges: Georges aimait Violette. Tout devait être simple.

Dès leur retour du voyage de noces, la vieille dame avait
10 assigné à sa belle-fille son rôle et ses limites. Elle avait fait préparer pour le jeune ménage la grande chambre communiquant avec la sienne.

— N'y a-t-il pas de clef? s'était informée Violette.

— Que ferais-tu d'une clef? avait répondu Georges. Nous ne
15 sommes pas à l'hôtel: quand on frappe, tu réponds « entrez » ou « n'entrez pas ».

Et la mère de Georges frappait en effet, mais la porte s'ouvrait si vite après le premier coup qu'elle devait taper d'une main et tourner la poignée de l'autre. Jamais Violette n'avait eu le
20 temps de dire non. Ses visites surprenaient la jeune femme à toutes les heures: dès que Georges était parti pour son bureau, sa belle-mère qui n'admettait pas la flânerie matinale, surgissait, s'emparait des draps et les étalait à la fenêtre.

— Mon enfant, votre chambre sent le renfermé, il faut aérer
25 la literie!

Et durant tout l'hiver, chaque jour, dans la pièce devenue glaciale, sans le refuge du lit chaud, Violette désemparée s'habillait. Même la salle de bains n'était pas un asile inviolable. Quelquefois, Violette, dans sa baignoire, voyait avec stupeur
30 entrer la vieille dame.

L'après-midi, le soir même, parfois une heure après que le jeune ménage fût monté, le petit coup se faisait entendre et la porte s'ouvrait brusquement, mais Georges ne semblait pas s'apercevoir de ces intrusions: il était habitué. Souvent en
35 présence de sa mère, il prenait un livre et laissait à sa femme

54

seule le soin de soutenir la conversation, et elle devait s'astreindre à écouter les histoires d'une famille qu'elle ne connaissait pas et les anecdotes d'une vie sans fantaisie.

Au début, Violette avait essayé d'obtenir quelques faveurs:

— Je n'aime pas les baldaquins, avait-elle dit, ces rideaux me 5 donnent des cauchemars! il y a peut-être d'autres lits dans la maison.

— Vous avez trop d'imagination; j'ai couché trente-quatre ans sous ce baldaquin et je m'en suis toujours bien trouvée.

— Je voudrais une boule d'eau chaude le soir ... avait de- 10 mandé la jeune femme, je suis très frileuse dès l'automne et j'y suis accoutumée.

— Bonne occasion pour vous en déshabituer. Cela donne des engelures. Si vous avez froid aux pieds, votre circulation est mauvaise et il faut aller voir un médecin. 15

Dans la chambre du jeune ménage, les murs tapissés de chintz à fleurs disparaissaient, véritablement noyés sous une masse de photographies de tous les membres défunts de la famille, enterrés depuis plus ou moins longtemps et que Violette n'avait pas connus. On voyait sous tous les angles la petite Émilie, morte 20 à sept ans, avec son grand nœud dans les cheveux, son pantalon dépassant sa robe et une rose à la main, l'arrière-grand-père en costume de chasse, tous les cousins et cousines et surtout, sur la cheminée, les deux yeux légèrement divergents, la tante Adèle.

— Ne pourrais-je pas les enlever? avait demandé Violette 25 épouvantée. Au moins la grande photo de cette dame inconnue.

— Une dame inconnue! avait répondu Georges, mais c'est la sœur cadette de maman, tante Adèle, elle s'est noyée à vingt ans sous une barque renversée ... on n'a jamais retrouvé son corps ... Note qu'elle est morte avant ma naissance, mais je 30 crois que si nous l'ôtions, maman serait terriblement offensée: elle a toujours été dans ma chambre.

Et la tante Adèle était restée là avec son regard douloureux, son nez pointu, son énorme grain de beauté sur la joue gauche et son destin tragique. 35

Violette avait tout accepté, elle n'était pas faite pour la lutte, trop nerveuse, trop sensible, ne supportant pas une discussion. Elle ne s'était jamais querellée ouvertement avec sa belle-mère: son éducation lui interdisait toute révolte, on lui avait appris à obéir aux personnes âgées, à les respecter, à ne jamais les contrarier. Un seul incident avait troublé ces douze années: en juin quarante, Georges n'avait pas donné de nouvelles depuis cinq semaines. Violette était folle d'inquiétude. Était-il même en vie? Ou prisonnier? Pourquoi ne recevait-on rien de lui? Tous les autres parents aux armées avaient écrit. Un soir, tandis que sa belle-mère était montée se coucher, et que Violette lisait au salon, on lui avait remis une dépêche. Sans jeter les yeux sur le nom du destinataire, elle avait arraché la bande et lu: « Vais bien, suis à Pau. Tendresses. Georges. » Poussant un cri de joie, elle avait grimpé l'escalier pour chercher de la monnaie pour le télégraphiste. Se précipitant chez sa belle-mère:

— Georges va bien, s'était-elle exclamée, il est à Pau!

— Comment cela? avait demandé la vieille dame.

— Voilà le télégramme, tenez, je vais chercher un pourboire pour le petit garçon.

Et elle avait jeté la dépêche sur le lit.

Après avoir récompensé le porteur d'une si bonne nouvelle, Violette, le cœur débordant de joie était remontée dans la chambre de sa belle-mère et avait trouvé celle-ci adossée à ses oreillers, la bouche pincée, l'œil mauvais.

— Mère, vous ne semblez pas réaliser . . . Georges est vivant, il va bien, avait dit Violette qui avait envie de danser à travers la pièce.

Puis elle avait eu soudain peur que l'émotion n'eût été trop forte pour la vieille dame et qu'elle ne la supportât pas.

— Mère, avait-elle dit plus doucement, quel soulagement! Maintenant, je peux vous dire à quel point j'étais inquiète!

Sa belle-mère était toujours immobile, tenant à la main le papier bleu:

— Depuis quand, dans ma propre maison, vous croyez-vous

autorisée à ouvrir les télégrammes qui me sont adressés? fit-elle enfin.

Et la vieille dame n'avait pas desserré les dents jusqu'à l'arrivée de Georges.

Et à présent, elle était morte: la vie allait vraiment commencer pour Violette: elle ouvrit les fenêtres pour laisser pénétrer le soleil.

Tandis qu'elle retirait ses crêpes en chantonnant à mi-voix, elle pensait déjà à toutes les transformations qu'elle voulait apporter à sa chambre. Enlever le baldaquin, mettre une chaise-longue avec des coussins moelleux. On ne pouvait retirer les photographies du mur sans les remplacer par des tableaux, car des marques plus foncées sur la tenture signalaient leur longue présence, mais au moins l'effigie de la tante Adèle allait disparaître tout de suite. La jeune femme ôta du cadre le papier jauni, sortit l'ingrat visage, et le fourra dans le tiroir.

Georges entra.

— Ah! ma chérie, dit-il, quelle excellente idée tu as eue d'enlever la tante Adèle, il y a une photo de maman de la même taille qui sera très bien ici.

Pénétrant dans la chambre de sa mère, il en revint avec un portrait qu'il fit glisser à la place de l'autre.

Violette en perdit le souffle: la sœur de tante Adèle la regardait, plus âgée, plus dure que sa cadette. Mais que pouvait dire Violette? C'était la mère de Georges et on l'avait seulement enterrée aujourd'hui.

— C'est parfait, dit Georges, comme cela, maman sera encore présente ici.

Et il sortit de la pièce.

Violette resta en face de l'image détestée. Non, elle n'avait pas encore gagné la partie. La lutte continuait.

Violette prit la direction de la maison. Un jour, elle changea de place les meubles du salon, tira une grande bergère près de la fenêtre, mais Georges en rentrant le soir eut l'air malheureux:

— Il y a trente-cinq ans que ce fauteuil était au fond de la pièce, près de la plante verte, dit-il.

— Pour coudre à la lumière, cet arrangement est plus pratique.

— Maman ne cousait jamais au salon, répliqua Georges.

Et le lendemain, la bergère était retournée près de la plante sèche et rabougrie qui devait dater elle aussi, de nombreuses années.

La jeune femme voulut utiliser les couverts d'argent aux repas de tous les jours.

— Mais on va les rayer . . . dit son mari.

— Mais non. Ils sont destinés à être employés, il suffit de les nettoyer souvent en les frottant bien.

— Ici, on ne s'est jamais servi de l'argenterie que pour les réceptions, il devait y avoir des raisons.

— Mon chéri, maintenant que je suis la maîtresse de maison, ne puis-je prendre quelques initiatives, faire quelques changements à ma guise?

Georges eut l'air stupéfait:

— Tu peux faire ce que tu veux et je comprendrais très bien que tu bouleverses tout si tu pouvais apporter des améliorations, mais tout était parfait . . .

Et les couteaux rentrèrent dans la gaine où ils dormaient depuis près d'un demi-siècle.

Violette avait également battu en retraite devant la cuisinière, elle aussi, attachée aux traditions. Un jour, la jeune femme ayant commandé du riz à l'impératrice: « — Oh! la pauvre Madame n'aimait pas le riz à l'impératrice, répliqua la servante. On n'en faisait jamais. »

— Mais moi je l'aime, avait répondu Violette, et vous en ferez pour le dîner.

— Il faut avoir le respect des morts, avait dit la cuisinière d'un air sinistre.

Et elle avait servi en guise de gâteau de riz une pâtée absolument immangeable.

— Du temps de maman, elle ne ratait jamais rien, avait remarqué Georges.

Violette avait renoncé à imposer ses menus.

Mais ce qu'elle supportait le moins, était de rester dans sa chambre où cette photographie de sa belle-mère, suffisait à recréer pour elle une atmosphère dont elle avait trop souffert.

Elle essaya de ne pas regarder le portrait. « Il y a au-dessus de la cheminée, se disait-elle, une tache grise que je dois m'efforcer 5 de ne pas voir, il faut que je pense que c'est un morceau de la glace qui est cassé. » Elle se mettait à coudre en s'interdisant de relever la tête avant d'avoir fini son ourlet, mais l'éclat du cadre d'argent attirait ses yeux malgré elle.

Violette quittait sa chambre encore plus tôt que du vivant de 10 la vieille dame et reculait chaque soir le moment de se coucher. Ne pas voir cette figure devenait une obsession, elle s'asseyait dans tous les coins de la pièce: même quand elle tournait le dos à la photographie, elle sentait un regard fixé sur elle. De son lit, elle voyait le visage deux fois, car il se reflétait dans l'armoire 15 à glace. Dans l'obscurité, elle y pensait encore.

Elle rendait sa belle-mère responsable de tous les **menus** accidents de la journée, piqûres d'épingles, ciseaux égarés ... Se cognait-elle à un meuble qu'elle se retournait vers le portrait: « Vous êtes contente? » disait-elle. 20

Un matin d'automne, Violette légèrement grippée, resta couchée. Quand Georges fut parti pour le bureau, elle sortit de son lit, courut vers la cheminée et posa à plat le cadre, puis respirant plus librement, elle se glissa dans ses draps, tout heureuse et prit un livre. 25

Quelques minutes plus tard, Georges remontant chercher un mouchoir oublié, entra dans la chambre.

— Qu'est-il arrivé à la photo de maman? s'exclama-t-il.

— Elle est tombée, quand tu as claqué la porte, articula Violette. 30

— C'est un miracle que le verre ne soit pas cassé, dit Georges en relevant le cadre.

Et il sortit.

Violette se dressa sur son lit, le visage tendu vers celui de sa belle-mère: 35

— Allez-vous me laisser tranquille, dit-elle, j'en ai assez, vous n'avez plus rien à faire ici! Restez avec les morts!

Elle n'osa plus toucher au portrait: à chaque craquement de la maison, il lui semblait que Georges montait les marches et pénétrait brusquement dans sa chambre.

La jeune femme dont la grippe s'était aggravée, lui donnant une forte fièvre, souffrait chaque jour davantage, de cette présence hostile qui l'étouffait.

Un jour, le froid commençant à se faire sentir, Violette demanda qu'on fasse une flambée dans la cheminée et s'amusa quelques instants à regarder danser les flammes. Toute la pièce en était égayée, mais les reflets du feu jouaient sur la photographie de la vieille dame et Violette crut voir le visage s'animer, les yeux se plisser et les lèvres remonter en un ironique sourire.

— Vous pouvez rire, cria la malade, vous êtes la plus forte, c'est vous qui me donnez la fièvre, qui me jetez des sorts!

— Ha! Ha! disait le portrait avec son mauvais rictus, je suis encore là et je regarde, et j'épie, et je déteste, et je peux encore faire peur, et je peux encore faire mal et empoisonner l'existence des vivants. Vous avez cru la partie gagnée parce que je suis morte, mais je suis encore la maîtresse dans cette maison.

Violette n'y tint plus, elle se leva, arracha la photographie de son cadre, la regarda une dernière fois, cracha dessus et la jeta dans le feu. Elle vit le visage se tordre dans les flammes, les yeux exécrés s'élargir et disparaître, les cheveux, les derniers, danser follement dans l'âtre. La jeune femme se croyait une sorcière en train de se livrer à un exorcisme. Une joie extraordinaire l'inondait. Bientôt il ne resta plus qu'un peu de papier noirci et tordu qu'elle écrasa avec une bûche et qui fit place à un petit tas de cendres.

Violette chanta à tue-tête, elle n'était plus malade, elle n'avait plus froid, le sort était conjuré, elle ne s'était pas sentie aussi légère depuis des années. Elle cacha le cadre dans son linge et s'efforça de ne pas penser au retour de son mari.

Quand Georges entra dans sa chambre, le soir, Violette se glissa au fond de son lit et prit un air dolent.

Il embrassa sa femme, et déposa un large paquet près d'elle sur la couverture, puis regarda la cheminée.

— Où est la photo de maman?   5

— Le cadre avait besoin d'être nettoyé ... je vais le donner ... je l'ai donné à la cuisinière ... bredouilla Violette.

— Tu pourras même lui en faire cadeau, elle n'a pas osé me demander un portrait de ma mère, mais je sais à quel point elle sera sensible à cette attention.   10

— Vraiment? demanda Violette, le cœur battant.

— Mais oui ... dit Georges. Ouvre donc ce paquet.

Violette défit le papier et en retira un immense cadre contenant un agrandissement en couleurs de la photographie de sa belle-mère qu'elle avait brûlée.   15

— N'est-ce pas qu'elle est encore plus vivante! ... dit Georges.

Et, s'emparant du portrait, il le posa sur la cheminée.

MICHELLE MAUROIS
La table des matières
FLAMMARION

61

MICHELLE MAUROIS

Le cadeau de mariage

ROSE, t'es-tu occupée du cadeau de mariage de la petite La Madière? dit après dîner Monsieur Martin-Leduc à sa femme.

— Je n'ai fait que cela depuis huit jours, mon ami, répondit-elle, mais j'ai parcouru tous les magasins et n'ai rien trouvé.

— Quel jour a lieu le mariage? demanda Monsieur Martin-Leduc.

— Samedi prochain.

— Mais c'est dans trois jours! On ne peut plus attendre!

— C'est un mariage bien précipité, dit Madame Martin-Leduc, je trouve que ce n'est pas très catholique!...

— Tu as traîné pour ce cadeau parce que tu voulais être sûre que le mariage ne serait pas rompu...

— Tu étais de mon avis, Léon!

— Ma foi oui, quand le fils aîné des Trochard a rompu ses fiançailles, ils n'ont rien rendu... soupira Monsieur Martin-Leduc.

— C'est presque indélicat! Tu te souviens de ces beaux ciseaux à raisins qu'on leur avait donnés!... Mais quelle idée a-t-elle, cette Irène, de se marier si jeune: c'est à peine si nous venons de lui faire un cadeau de première communion!

— Sans compter, dit Monsieur Martin-Leduc, qu'elle est capable de divorcer et de se remarier.

— Évaporée comme elle l'est, je n'en serais pas plus étonnée, dit sa femme, surtout en épousant un marchand de vins . . . de mon temps, on n'aurait pas épousé un marchand de vins!

— Mais mon amie, il n'est pas marchand de vins, il est négociant de vins en gros.

— Marchand . . . Négociant; c'est bien la même chose! 5

— C'est comme si tu ne faisais pas de différence entre mon caissier et moi, dit Monsieur Martin-Leduc. Le fiancé d'Irène est un très beau parti.

— Oh! Ils font un tintamarre comme si elle épousait le Shah de Perse! Si tu avais entendu comme Madame La Madière par- 10
lait de la bague de fiançailles d'Irène, et c'est un petit diamant qui n'a même pas quatre carats, dit Madame Martin-Leduc en contemplant son énorme solitaire; on a dû faire une de ces horribles grosses montures modernes, parce qu'on ne pouvait pas le laisser seul: on ne l'aurait pas vu! 15

— Là n'est pas la question, Rose. La Madière est un gros client de la banque, nous sommes en relations assez intimes, il faut que nous fassions à sa fille un cadeau de mariage et qu'il soit convenable . . .

— Certainement, mon ami. 20

— Qu'est-ce que les La Madière ont donné à Marc pour son mariage? demanda Monsieur Martin-Leduc.

— Ils ont participé à l'argenterie: douze couteaux, je crois, ou peut-être six . . . mais à ce moment-là, ce n'était pas très cher.

— On m'a même dit qu'il fallait maintenant une contre-partie, 25
dit Monsieur Martin-Leduc.

— Il n'est pas question de donner de l'argenterie, dit sa femme, mais j'avoue que je n'ai plus d'idées, je suis allée dans tous les magasins: le moindre tête-à-tête coûte une fortune . . . et ne fait aucun effet. 30

— Tu n'as pas vu des lampes? . . . des tables roulantes?

— Tout cela, mon ami, dépasse de beaucoup ce que nous voulons mettre.

— Crois-tu qu'ils vont se meubler en ancien ou en moderne? demanda Monsieur Martin-Leduc. 35

— Maintenant les jeunes veulent absolument être en moderne, dit sa femme, mais comme les La Madière ont beaucoup de meubles anciens, ils en donneront peut-être à leurs enfants . . .

Après une longue méditation, Madame Martin-Leduc dit:

5 — Il y aurait bien des objets qu'on pourrait donner ici, tu ne crois pas, Léon? Dans l'héritage de la tante Léopold, il y a beaucoup de choses dont nous ne nous servons pas . . .

— On n'arrivera jamais à faire un paquet qui ait l'air convenable, dit Monsieur Martin-Leduc.

10 — Ça, je m'en charge, répondit sa femme, j'ai du papier glacé blanc d'avant-guerre et de la vraie ficelle.

— Et par qui le faire porter? Ils connaissent nos domestiques.

— Le fils du concierge sera ravi de s'en charger.

— Quand un magasin livre un colis, dit Monsieur Martin-
15 Leduc, il y a la marque de la maison.

— Tu vois, Léon, comme je pense à tout: j'ai gardé toutes les étiquettes du mariage de Marc, pensant que ça pourrait servir . . . on n'a qu'à en coller une.

— Et s'ils veulent changer le cadeau?

20 — Ils n'oseront pas changer notre cadeau! dit Madame Martin-Leduc.

— Si tu crois qu'ils nous inviteront chez eux, ma pauvre Rose! Non, si nous envoyons quelque chose d'ici, j'aime encore mieux ne pas mettre d'étiquette: elle aura pu se décoller en route.

25 Monsieur Martin-Leduc inspectait la vitrine d'argenterie où s'alignaient des plats, des cafetières de tous les styles, voisinant avec d'innombrables gobelets, coquetiers et menus objets d'argent.

— Il y a là dix ou douze salières, Rose . . . oh! J'ai trouvé,
30 dit-il en ouvrant la vitrine, ce seau à champagne . . . nous en avons des quantités!

— Tu n'y penses pas, mon ami! D'abord, ce seau vient de mon côté, j'y tiens beaucoup, c'est un souvenir de ma pauvre grand'mère d'Amiens.

35 — Celle que tu n'as jamais connue?

64

—Justement . . . c'est tout ce qui me reste d'elle . . . et puis, l'argenterie est un placement. Tu dis toi-même qu'il faudrait dépenser une fortune pour en acheter, c'est la même chose.

—Non, pas tout à fait!

—Attends, Léon!

Et Madame Martin-Leduc, après s'être entortillée dans une vieille robe de chambre alla chercher un escabeau qu'elle traîna dans le corridor et ouvrit le haut d'une armoire. Là, étaient entassés des souvenirs et des cadeaux de trois générations de Martin et de Leduc.

—Voilà des bougeoirs en cristal, annonça Madame Martin-Leduc. Viens voir, Léon!

—Des bougeoirs! On ne se sert plus guère de bougies de nos jours: j'ai peur que ça ne fasse pas bien plaisir à ces jeunes gens!

—Ce n'est pas pour leur faire plaisir qu'on leur fait un cadeau, coupa Madame Martin-Leduc.

—Qu'est-ce que tu as d'autre à me proposer?

—Un buste de Napoléon . . . non! Un vase de Lalique . . . je ne le reconnais pas du tout. Et toi, Léon?

—Non. Tu es sûre qu'il est à nous?

—Il doit être à Marc, mais comme il a oublié de l'emporter, il ne s'en souviendra pas.

—Il le reconnaîtra quand il le verra chez La Madière . . . et puis il est très laid.

—Si par-dessus le marché, il faut que ce soit joli! dit Madame Martin-Leduc en fourrageant dans l'armoire . . . encore des bougeoirs . . . en argent cette fois; non! Une jardinière en porcelaine . . . non! Un encrier de bronze . . . non! Tiens, une petite boîte en écaille avec une miniature!

—Fais voir, Rose!

Madame Martin-Leduc tendit la boîte à son mari.

—C'est une bonbonnière, dit-il, elle vient de chez la tante Léopold. Elle l'avait près de son lit pleine de pastilles à l'eucalyptus pour la toux . . . elle doit encore sentir . . .

Madame Martin-Leduc fouillait toujours.

— Tiens, dit-elle, un magnifique écrin de cuir rouge, presque neuf . . . il est vide, c'est dommage, il fait un effet fou!

— Mais, dit Monsieur Martin-Leduc, il a l'air un peu plus grand que la boîte . . . passe-le moi.

5 La bonbonnière s'ajustait à la perfection dans le creux du satin blanc bouillonné qui garnissait l'écrin.

— Rose, viens. On dirait que c'est fait exprès.

Madame Martin-Leduc descendit de l'escabeau.

— Oui, ça fait bien . . . surtout le cuir rouge . . . mais la boîte 10 est bien petite dedans.

— Qu'est-ce qu'ils en feront? demanda Monsieur Martin-Leduc.

— Ils la rangeront de nouveau pendant trente ans dans un haut de placard, ou ils la mettront dans une vitrine chez leurs 15 parents: il y a déjà tellement de vieilleries!

— Je dois dire, ajouta Monsieur Martin-Leduc, que cette boîte ne nous manquera pas beaucoup: j'avais oublié son existence. Je crois qu'on peut la leur donner. Qu'est-ce que tu en penses?

— Comme tu veux, Léon, elle vient de ton côté.

20 Ils revinrent au salon avec leur trouvaille.

— Rose, demande à Firmin d'apporter du cirage rouge pour chaussures et un chiffon, dit Monsieur Martin-Leduc.

— Pourquoi faire?

— Tu verras. Et va chercher ton papier propre et ta vraie 25 ficelle.

Le valet de chambre apporta le cirage et le chiffon sur un plateau d'argent en demandant si Madame avait encore besoin de l'escabeau.

Monsieur Martin-Leduc astiqua vigoureusement l'écrin: 30 celui-ci apparut flambant neuf. Sa femme frottait la bonbon-nière.

— Ne la nettoie pas trop, dit son mari, il vaut mieux qu'elle ait l'air ancien. Que représente-t-elle?

— Une sorte de Marquise à cheveux poudrés: c'est assez fin 35 . . . mais moi, ces machins-là . . .

66

— Elle ne sent pas l'eucalyptus?

— Un peu. Je vais la passer à l'eau de Cologne.

Ils firent minutieusement le paquet et joignirent leur carte de visite:

> *Monsieur et Madame Léon Martin-Leduc*   5
> *avec leurs meilleurs vœux de bonheur.*

puis ils allèrent se coucher, la conscience en repos.

Le lendemain matin, on expédia le fils du concierge pour aller porter le paquet chez la jeune fiancée.

Pendant le déjeuner, Madame Martin-Leduc dit à son mari: 10

— Les La Madière doivent être débordés par les préparatifs du mariage, ils n'auront sûrement pas le temps de nous remercier avant la cérémonie.

— J'ai peur qu'ils ne soient pas très contents, dit Monsieur Martin-Leduc, j'y ai repensé ce matin au bureau: c'était vrai-   15
ment très petit.

— Mais non, mon ami, cela représente très bien, et puis, il est trop tard.

Ils étaient en train de prendre leur café quand Firman apporta un pneumatique adressé à Madame Martin-Leduc, que celle-ci   20
lut à haute voix.

> *Chère Madame,*
>
> *Je ne veux pas tarder un instant de plus à vous dire nos remerciements émus pour votre merveilleux cadeau. Mon fiancé et moi sommes très touchés: nous le mettrons chez nous à la place d'honneur où nous*   25
> *espérons que vous viendrez le voir.*
>
> *Dites à Monsieur Martin-Leduc notre gratitude et croyez, chère Madame, à ma reconnaissante et respectueuse sympathie.*
>
> *Irène La Madière*

— Elle se fiche de nous, il n'y a pas de doute, dit Monsieur   30
Martin-Leduc; à la place d'honneur!...

— Enfin, elle a été plus polie que je n'aurais cru, dit sa femme: elle a même répondu par pneumatique!

67

— Ses parents ont dû l'y obliger, dit Monsieur Martin-Leduc. Nous n'aurions jamais dû envoyer cette petite boîte ... Toujours tes conseils! ... Pourtant depuis trente ans, je devrais le savoir!

5 — Oh Léon, que tu es injuste, moi qui ne pense qu'à te faire faire des économies ...

Monsieur Martin-Leduc partit pour son bureau et quand il revint le soir, il trouva une lettre qui avait été déposée dans l'après-midi:

10 *Cher ami,*

Je veux ajouter mes remerciements à ceux de ma fille, mais je suis confus que vous ayez fait à ces enfants un tel cadeau, et j'ai scrupule à le leur laisser accepter. Soyez sûr que je me souviendrai d'une pareille générosité et avec encore toute ma reconnaissance, recevez, 15 *ainsi que Madame Martin-Leduc, nos très affectueux souvenirs.*

Yves La Madière

— Sapristi! dit Monsieur Martin-Leduc, en passant la main dans la mousse frisée de ses cheveux, crois-tu qu'il se paye notre tête?

20 — Je ne pense pas qu'il oserait, dit sa femme. Ils sont peut-être simplement polis.

— C'est plus que de la politesse!

— Elle était gentille, cette petite boîte, dit Madame Martin-Leduc, elle leur a peut-être fait plaisir ...

25 — Non. Je pense, dit Monsieur Martin-Leduc, que La Madière veut être aimable; il doit avoir besoin d'un service.

— J'ai une idée, dit sa femme, ils ont peut-être mélangé les cartes: c'était arrivé avec les cadeaux de Marc. On avait tout ouvert en même temps et tout confondu. Peut-être qu'on a 30 mis notre carte avec quelque chose de très bien.

— Oui, Rose, tu dois avoir raison: je n'y avais pas pensé. C'est parfait, dit Monsieur Martin-Leduc.

* * *

La cérémonie eut lieu le samedi à la Madeleine. Ce fut magnifique: il y avait la plus belle musique, les plus jolies fleurs. La
mariée était ravissante, bref, c'était un grand mariage.

Madame Martin-Leduc, noyée dans un flot de fleurs, de voi-
lettes et de renards, attendait avec son mari pour défiler à la s
sacristie. Il y avait des centaines de gens. Les La Madière
disaient un mot rapide à chacun, puis se tournaient vers le

suivant. Quand arriva le tour de Monsieur et Madame Martin-Leduc, Madame La Madière ouvrit ses bras:

— Ah! chers amis, dit-elle, comment vous remercier d'avoir gâté ainsi ces chers petits!

5   Et la jeune épouse présenta son mari:

— Chéri, ce sont Monsieur et Madame Martin-Leduc qui nous ont fait ce si beau cadeau!

— Bien peu de chose ... Heureux que cela vous plaise ... parvint à articuler Monsieur Martin-Leduc.

10   Ils sortirent les dents serrées: Monsieur Martin-Leduc suait à grosses gouttes.

— Ils ont sûrement changé les cartes, dit-il, ils n'oseraient pas se moquer de nous comme cela.

Ils arrivèrent au lunch où se pressait déjà autour du buffet la
15   foule élégante de l'église. Madame La Madière les accueillit:

— Voulez-vous venir prendre quelque chose au buffet, ou préférez-vous voir les cadeaux avant? Ils sont exposés au petit salon.

— Nous irons admirer les cadeaux d'abord, dit Madame
20   Martin-Leduc.

— Je ne serai pas fâché de voir le nôtre, dit son mari en l'entraînant.

Il y avait une masse de cadeaux: des lampes, des vases, des services à porto, soigneusement rangés dans les boîtes entre-
25   bâillées et accompagnés des cartes de visite.

— Nous ne retrouverons jamais notre bonbonnière là-dedans, dit Madame Martin-Leduc. Allons toujours voir la corbeille de mariée.

Sur une table, au fond de la pièce, étaient disposés les bijoux:
30   une émeraude dans un écrin de satin blanc, un collier de trois rangs de perles, plusieurs bracelets et, dominant le tout, un coffret ouvert sur une argenterie ancienne en vermeil.

Au milieu, à côté du collier de perles, il y avait la bonbonnière de Monsieur et Madame Martin-Leduc, dans sa boîte de cuir
35   rouge, avec leur carte de visite.

70

Le cadeau de mariage

— Qu'en penses-tu, Rose? demanda Monsieur Martin-Leduc. Moi, je tombe des nues ...

Ils furent rejoints à ce moment-là par le frère de Monsieur La Madière, grand amateur d'œuvres d'art.

— Ah mes amis! leur dit-il, comme vous avez gâté ma nièce: 5
cette miniature de Boucher qu'on a montée en bonbonnière est une des plus belles qu'il m'ait été donné de voir.   On n'en connaît d'ailleurs que deux ou trois au monde.   J'ai moi-même une collection de miniatures de cette époque, mais aucune ne peut se comparer à celle-ci.   C'est une pièce unique: je me demande 10 comment vous avez pu découvrir une semblable merveille.   Je parcours depuis vingt ans les antiquaires d'Europe et n'ai rien vu de tel ...

— Euh! C'est-à-dire ... bredouilla Monsieur Martin-Leduc, je suis content que cela leur ait fait plaisir ...   15

— Plaisir! reprit Monsieur La Madière, vous pouvez être sûr que cela leur a fait plaisir! Je donnerais toute ma collection pour ce trésor ...   Mais Madame, vous ne vous sentez pas bien ...

Madame Martin-Leduc était tombée lourdement sur une 20 chaise et portait son mouchoir à ses lèvres.

— C'est la chaleur, l'émotion, les fleurs!

— Je vais aller vous chercher un peu de champagne, vous avez besoin de vous remonter, dit Monsieur La Madière.

— Oui, murmura Madame Martin-Leduc.   25

MICHELLE MAUROIS
La table des matières
FLAMMARION

PAUL VIALAR

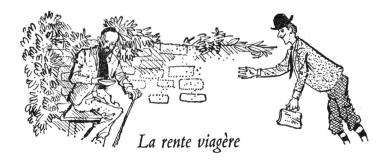

La rente viagère

LA première fois que le père Alcor vit M. Maresquet, l'agent
d'assurances, pousser la barrière de sa cour, il le foudroya
du regard. C'était un dimanche. Que venait-il faire, ce
jeune homme aux cheveux noirs trop bien peignés, à la ridicule
5 culotte qui bouffait au-dessous du genou, au chandail à carreaux
de couleurs?

Il était assis sur son banc de pierre, le père Alcor, devant sa
petite maison, sous sa vigne tordue qui, contre le mur dont le
crépi s'effritait par plaques, était bleue de sulfate. Il tenait dans
10 sa main son bol qui contenait un peu de « goutte », de celle qui
avait « bouilli » à l'alambic de tout le monde et qui provenait
des fruits de son jardin.

Mais M. Maresquet s'approchait, son sourire engageant sur
ses lèvres surmontées d'une drôle de petite moustache mince et
15 dont il rasait la moitié.

— Bonjour, père Alcor!

— Bonjour, bonjour . . .

— Vous me faites un peu de place?

Le vieil homme ne se poussa pas. L'autre s'assit tout au bout
20 du banc de pierre, à moitié en dehors.

— Oh! oh! fit-il, de la goutte!

— Oui, dit le vieux, c'est dimanche!

Il trempa ses lèvres dans le bol, mais il n'en offrit pas. Maresquet, qui en avait vu d'autres, ne se démonta pas pour si peu.

— Eh bien! dit-il, si vous vouliez, père Alcor, vous en boiriez tous les jours.

Le vieux leva la tête, resta son bol à la main, regarda l'agent d'assurances de son œil bleu:

— Tous les jours! Tous les jours?   5

— ... Que Dieu fait, compléta Maresquet, et il en fait! Et encore, ajouta-t-il, ça pourrait être de la « trois étoiles »!

Il blaguait, sûrement, ce jeune homme. Oh! il avait bien mis de l'argent de côté, le père Alcor, mais quoi, ces cent dix-huit mille francs amassés au cours de soixante-quatorze ans de vie, 10 dont soixante-quatre, au moins, pendant lesquels il avait gagné son pain à la sueur de son échine, cela ne rapportait guère, impôts déduits, que dans les quatre mille trois cents par an. Il n'y avait pas de quoi se payer de la « trois étoiles » et tous les jours encore!   15

— Je voudrais bien savoir comment? questionna-t-il.

Mais l'autre suivait son idée, développait un sujet qu'il connaissait bien:

— C'est très facile! Voyons, vous possédez bien en valeurs et en argent liquide ...?   20

— C'est selon ... dit le vieux.

— Allons, père Alcor, comment voulez-vous que je calcule si vous ne me dites pas la vérité? Faut-il compter dans les soixante mille?

— Oh! non.   25

— Plus?

— P't'être bien ...

— Quatre-vingts? ... Cent? ... Cent cinquante? ...

— Point tant!

— Cent vingt?   30

— Ça serait bien plutôt ça.

— Mais, s'exclama Maresquet, cent vingt mille francs, savez-vous ce que cela donne de rentes?

— Ma foi oui, dit le vieux, quatre mille trois cent soixante-quatre francs, pas un sou de plus.   35

75

— Non, dit Maresquet.

Il tira de sa poche un carnet noir, consulta un barème:

— Cent vingt mille, à votre âge? . . .

— Soixante-quatorze ans . . .

5 — Cela donne onze mille sept cent quatre-vingts francs par an.

— Par an?

— En viager, bien entendu.

— Ma foi, dit le vieux alléché, c'est qu'j'ai point d'héritier!

10 — Alors, qu'attendez-vous? Lorsque vous ne serez plus là — oh! il n'en est pas question pour le moment, et ça ne fait mourir personne d'en parler — à qui donc ira votre argent, je vous le demande? A d'arrière-cousins éloignés que vous ne connaissez même pas.

15 — J'en ai point.

— A l'hospice de la ville, alors.

— J'veux pas, dit le vieux.

En effet, à l'hospice de la ville voisine, il y avait Barlatan, son ennemi de toujours, un propre à rien, un sans sou, qui avait 20 même, à ce qu'on disait, tourné dans les temps autour de la femme d'Alcor.

— Alors? interrogea Maresquet en suçant son crayon.

— Alors, fit le vieux en se grattant la nuque, il faut que j'réfléchisse, mais marquez-moi le chiffre sur un papier et repassez 25 m'voir, je n'dis pas non.

*   *   *

Six mois plus tard, Maresquet tint à porter lui-même l'argent du premier semestre au père Alcor, qui avait signé l'assurance et versé son capital. Il choisit pour cela un dimanche, mais comme, cette fois, on était en hiver, le vieux le reçut dans la 30 « salle » de sa bicoque, devant un grand feu de sarments qu'il avait ramassés lui-même, entre l'alcôve du lit et l'horloge de bois ciré au balancier doré.

— Voilà, père Alcor, j'apporte le semestre.

— Mettez-vous là, m'sieur Maresquet . . .

76

Et il sortit le litre de « goutte » et deux bols.

L'assureur ouvrit son grand portefeuille noir de molesquine, en tira une liasse de billets qu'il compta sur la table de chêne:

— Un . . . deux . . . trois . . . quatre . . . cinq . . . et cent . . . et soixante . . . et quinze francs . . . sans oublier les vingt centimes. Une somme! Plus que vous ne touchiez en un an, père Alcor, constata-t-il, et cela pour six mois seulement!

C'était vraiment appétissant ces billets de bel argent de la Banque de France sur cette table! Il les y laissait un moment, le père Alcor, avec complaisance, tout à la joie d'être riche, et, généreusement, il versait l'eau-de-vie dans les bols.

— Et, dit Maresquet en faisant claquer sa langue, vous rendez-vous compte que, si vous versiez à nouveau cet argent à la masse, ce ne serait plus onze mille francs par an, mais bien près de treize mille que vous toucheriez l'an prochain?

— Pas possible?

— C'est comme je vous le dis.

Le vieux hésita un instant. Qu'avait-il besoin de cet argent, après tout? Il avait du bois dans son cellier, des pommes sur les planches, un jardin qui donnait encore des salades malgré l'hiver.

— Allez, dit-il, reprenez la somme. Treize mille, dites-vous, que ça f'rait?

— Treize mille, dit Maresquet en consultant son carnet noir.

Cinq ans après, c'était vingt-deux mille francs de rente qu'il avait, le père Alcor, en versant chaque fois son semestre à la masse. Il était riche et cela commençait à se savoir dans le pays. Ceux qui ne le saluaient pas avant lui tiraient leur chapeau. Les gamins ne se moquaient plus de lui, et M. le curé lui-même venait lui rendre visite avant Pâques.

Il s'accoutumait à cette considération qui lui plaisait, le flattait, faisait de lui un notable au même titre que le maire, l'instituteur, ou le gros fermier des Bruyères. Son veston verdissait, le toit de sa grange penchait un peu par le milieu, il n'y avait pas grand'chose dans son écuelle, mais il cultivait assez de légumes dans son jardin pour ne pas mourir de faim. Il avait supprimé la « goutte », ce qui, à son âge, était excellent. Il semblait avoir rajeuni et ne paraissait pas ses soixante-dix-neuf ans.

Cinq ans plus tard, on commençait à le montrer aux gens de la ville comme une des curiosités du village. Et les Parisiens
5 n'en revenaient pas lorsqu'on leur désignait ce vieillard de quatre-vingt-quatre ans, sec, ridé comme une poire d'hiver, appuyé sur un bâton de noisetier qu'il avait coupé lui-même et qui, disait-on, avait — et c'était la stricte vérité — tout près de trente-cinq mille francs de revenus.
10 Malgré son âge, il tenait la tête plus droite, regardait les gens bien en face, conscient de sa valeur et de son importance. Il avait supprimé la viande, ce qui ajoutait à la salubrité de son régime. Oh! il n'en mangeait pas beaucoup avant, mais cela lui évitait d'élever un cochon, de le nourrir. Il passait de bonnes
15 soirées, devant un verre d'eau de son puits, auprès d'un petit poste de T. S. F. que Maresquet lui avait donné. L'assureur lui devait bien ça.

Il vécut dix ans encore — et peut-être cette assurance sur la vie y fut-elle pour quelque chose — entouré de la considération
20 générale et du respect de tous. Les filles à marier allaient lui demander conseil avant de s'engager, les paysans le consultaient avant d'acheter une terre et, du haut de sa fortune et de sa sagesse, il les guidait avec bienveillance et bonté.

Il mourut à quatre-vingt-quinze ans, et l'on prononça des
25 discours sur sa tombe. Ce fut le corbillard des pauvres qui le mena à sa dernière demeure, car il ne possédait pas d'argent liquide. Mais il avait, à ce moment, ayant capitalisé l'intérêt avec sa mise de fonds, plus de cinquante mille francs de rente. C'était l'homme le plus riche du canton.
30 Lorsqu'il défila devant la tombe et qu'il prit le goupillon des mains du maire, M. Maresquet, dont les cheveux, à présent, étaient gris, essuya furtivement une larme, car il l'aimait bien, le père Alcor! A force de le voir, comme ça, tous les six mois, il était devenu son ami.

PAUL VIALAR *La tour aux amants* ÉMILE-PAUL FRÈRES

CHARLES–FERDINAND RAMUZ

CHARLES–FERDINAND RAMUZ

Accident

ELLE écoute, tout était silencieux dans la maison. D'ordinaire, il était toujours levé avant cinq heures. On entendait alors, à travers la mince cloison de mélèze, le lit craquer, et Anselme qui se levait, posant l'un après l'autre ses pieds nus
5 sur le plancher, puis qu'il enfilait ses souliers pour aller traire, lourds, massifs, garnis de clous. On les entendait ensuite traîner sur les grosses pierres plates, servant de pavé sous la fenêtre.

Aujourd'hui, rien. On était en novembre; il faisait encore tout à fait nuit. Thérèse frotte une allumette et regarde l'heure
10 à sa montre posée sur la table de nuit à portée de sa main. Cinq heures et demie. « Qu'est-ce qu'il fait? » Elle se lève.

Ils habitaient deux chambres voisines, mais qui ne communiquaient pas. Il fallait passer par le corridor. C'est en bois, nos maisons, c'est comme des boîtes à musique. « Il doit pourtant
15 m'entendre », se disait-elle. Cependant, arrivée devant la porte de la chambre de son mari, elle a vu que tout était obscur encore à l'intérieur, sans quoi la lumière aurait fait des lignes verticales entre les planches mal assemblées.

Elle est entrée tout droit; il n'a pas bougé, il dort. Elle ap-
20 pelle: « Hé, Anselme! » On ne répond pas. Elle a tourné le commutateur, parce que, jusque dans les plus pauvres villages de la montagne, ils ont à présent la lumière électrique à cause de l'eau abondante et des barrages qu'on a construits.

— Anselme!

25 Elle le voit, elle s'approche du lit. Il ne s'est pas réveillé. Elle le secoue. Il a ouvert les yeux, mais il est tout drôle, car il n'a pas ouvert les yeux également et en même temps, mais le droit plus que le gauche qui reste à moitié fermé. « Anselme! » Elle l'appelle. Il s'est rendormi. Mais est-ce qu'il s'est vraiment

80

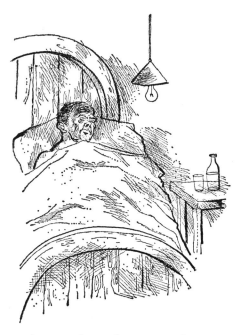

rendormi? Il a soulevé un peu la tête, puis il la laisse retomber de côté et ses yeux se referment. « Anselme, qu'est-ce que tu as? Anselme, c'est moi, Thérèse, ta femme. »

Et elle lui a dit: « Est-ce que tu ne me reconnais pas? » parce qu'un pressentiment lui est venu. « Anselme, réponds! » Il grogne quelque chose. On ne comprend pas ce qu'il dit, les mots qu'il profère restent pris les uns dans les autres; il essaie vainement de les séparer, avec ses lèvres trop grosses et enflées qui sont déviées sur la gauche. « Anselme c'est l'heure de traire. » Il essaie encore de se soulever; il fait un mouvement avec la tête, voulant dire: « Je ne peux pas », puis il retombe à son sommeil, mais qui est quelque chose de plus que du sommeil. Elle lui parle comme à travers une épaisseur d'eau sous laquelle

81

il est étendu et que le regard traverse, mais qui arrête ce que la voix énonce, si bien qu'il ne sert à rien de parler, comme elle voit. Elle est seule dans cette chambre, elle perd la tête. Qu'est-ce qu'il faut faire? Elle a couru dehors. Heureusement que la maison de sa sœur n'est pas loin.

Il y a une maison de bois dans le bas de la pente, qui est la sienne, et, un peu plus haut dans le milieu de la pente, il y a une autre maison de bois qui est éclairée, tandis que Thérèse s'active sur le chemin, se tenant, pour ne pas le manquer, à la barrière.

Elle appelle. Arrivée un peu en dessous de la maison de sa sœur, elle appelle de loin dans la nuit:

— Catherine!

Et appelle de nouveau plus fort:

— Catherine!

Sa sœur est alors apparue, faisant une forme noire qui se découpe dans le rectangle rouge de la porte qu'on a ouverte:

— Qu'est-ce qu'il y a?

— C'est un malheur. Il te faut venir.

— Où ça?

— Chez nous.

— Pour quoi faire?

— C'est Anselme qui a pris du mal. Les deux femmes redescendent ensemble. Anselme dort toujours. Anselme est toujours sur son lit. Mais elles sont deux maintenant pour le réveiller. Elles parlent entre elles, elles font du bruit; elles l'ont secoué, elles l'interrogent. Il a ouvert de nouveau très bizarrement les yeux; il a un regard égaré qui cherche à se poser sur vous, mais n'y réussit pas et trébuche; cependant qu'elles sont deux maintenant à lui demander ce qu'il a. Il a dit difficilement:

— Je ne sais pas . . . la main.

Catherine demande à sa sœur:

— Tu comprends ce qu'il dit?

— C'est à la main qu'il dit qu'il a mal. Il ne s'est pourtant rien fait à la main.

Mais, comme la main n'est pas une partie du corps aussi importante que le cœur ou l'estomac ou le ventre et qu'une maladie qui s'y met ne doit pas être bien grave, elles se rassurent pour l'instant. Et Thérèse:

— L'ennui, c'est seulement qu'il ne pourra pas traire. Est-ce que tu pourrais m'envoyer Firmin? ₅

Firmin est le fils aîné de Catherine: un grand garçon de vingt-deux ans, qui s'est mis tout de suite à soigner le bétail, trois vaches et deux chèvres.

Ainsi a commencé le premier jour de cette drôle de maladie; Catherine avait dit à sa sœur: ₁₀

— Le médecin doit venir pour le petit de Josette Coudurier qui a le croup. Veux-tu que je te l'envoie?

— Bien sûr, quoique je ne croie pas que ce soit rien de bien méchant, mais enfin on saura à quoi s'en tenir.

Elle n'aurait pas fait venir le médecin pour si peu: les médecins ₁₅ coûtent bien trop cher, les médecins habitent loin, dans des villes. Ils ont deux ou trois heures de route à faire et ils ne peuvent même pas toujours se servir de leur auto ou de leur moto-cyclette sur ces mauvais chemins de montagne pleins de pierres roulantes, et raides. C'est chaque fois pour eux une demi- ₂₀ journée de perdue. De sorte qu'on s'arrange à ne les faire venir que quand il y a dans le village plusieurs malades. On se partage les frais; chacun paie sa part. Et il se passe, maintes fois, qu'avec cette façon de faire le médecin arrive trop tard.

Par bonheur, Anselme n'allait pas trop mal quand le médecin ₂₅ est arrivé. Anselme s'est soulevé dans son lit, il a grogné quel-que chose. Il disait difficilement:

— C'est la main . . . la main qui ne va pas.

— Essayez de lever le bras.

On a vu Anselme faire un mouvement en demi-cercle, dressant ₃₀ avec effort le bras au-dessus de sa tête, tandis qu'il lui semblait avoir au bout du bras quelque chose d'énorme et de mou, un poids pareil à celui d'une grosse boule de pâte, et qu'en même temps il considérait sa main avec surprise et la voyait toute petite, quoique enflée. ₃₅

— Essayez de faire se rejoindre les doigts et le pouce.

Anselme n'a pas pu.

— Essayez de siffler.

Anselme a fait une drôle de grimace, s'efforçant vainement de
5 rassembler dans leur milieu ses lèvres gonflées et tordues.

Et le médecin a écrit quelque chose sur une feuille de son
calepin; Thérèse l'avait rejoint dans la cuisine.

— Qu'est-ce que c'est? C'est rien de grave?

— Un coup de sang.

10 — Où ça?

— Dans la tête.

— Mais c'est sa main qui ne va pas.

— Ça vient quand même du cerveau. C'est le cerveau qui
commande à la main.

15 Puis le médecin a dit:

— Est-ce qu'il fume? ... Il faut lui cacher sa pipe.

— Est-ce qu'il boit? Cachez-lui son vin.

Il disait:

— Et puis, il faut qu'il reste bien tranquille. Pas de bruit,
20 éviter les contrariétés.

— Ce sera long?

Le médecin haussa les épaules:

— On ne sait jamais avec ces cas-là. Il va probablement se
remettre tout seul, mais ça risque d'être long. En attendant,
25 tenez-le au chaud.

Anselme, pendant ce temps, remuait une langue épaisse, qui
lui remplissait la bouche d'une espèce de bouillie, et qui l'empêchait de parler.

Thérèse avait mis sur le feu une marmite pleine d'eau et,
30 quand elle eut bouilli, avec précaution, goutte à goutte, de peur
de faire sauter le verre, en a rempli des litres à vin et les bouchait
soigneusement, les tenant dans son tablier, puis, comme Anselme
appelait, elle est entrée dans la chambre, a soulevé les couvertures,
et elle glissait une des bouteilles sous les pieds de son mari, elle
35 logeait l'autre contre sa hanche. Alors, Anselme avait senti une

84

bonne source de chaleur être à l'extrémité de sa personne, sous
le plumier à carreaux rouges et blancs, dans le grand lit de noyer
à deux places où il avait couché trente ans avec sa femme; et,
comme la nuit venait, il était tombé dans une nouvelle espèce
d'épaisseur de sommeil où il s'agitait gémissant, mais enfin la   5
nuit s'est passée.

Au matin, il poussa des cris quand il vit sa femme entrer dans
la chambre. Il s'exclamait, il lui souhaitait le bonjour d'une
voix trop haute et changée.

Il disait, en poussant des cris: 10

— Ah! Tu es là, tu es une bonne femme! Tu me soignes!
Tu es gentille, tu vas me tirer d'affaire. Dis donc, qu'est-ce
que j'ai eu? Dis, Thérèse, je ne me souviens pas très bien.

On allait et venait dans la maison et devant la maison, mais il
ne semblait pas se rendre compte de ce qui se passait et ne s'en   15
préoccupait guère, ne sortant de ses nuages que pour se jeter
tout à coup dans ses exclamations et ses imprécations. Il était
devenu extrêmement irritable.

Thérèse lui disait:

— T'inquiète pas, Firmin est là. Il se charge de gouverner.   20

— Firmin, disait-il, je veux pas.

— Pourquoi?

— C'est un gamin, il ne sait pas s'y prendre.

Et maintenant, étant revenu à un peu plus de lucidité, on le
voyait qui guettait le pas de Firmin sous sa fenêtre, disant à sa   25
femme:

— Arrive!

Puis criant:

— Surveille-le!

Puis, toujours criant: 30

— As-tu le carnet du lait? Dépêche-toi de me l'apporter.

S'agitant dans son lit, avec des phrases qu'il n'achevait pas et
des mots mal prononcés qui n'avaient guère de suite.

On lui avait apporté le carnet. Il l'a ouvert contre ses genoux
relevés, l'appuyant à la couverture, puis son doigt s'est mis à aller   35

de haut en bas de la colonne de chiffres qui est logée sur le côté de la page entre deux traits rouges, — faisant une affreuse contraction avec sa bouche et son nez:

— Deux et trois, trois et quatre, ça fait combien?

5 Il criait:

— Je sais plus compter!

Et il entrait alors dans de longues méditations, d'où il sortait en donnant des coups sur le plancher avec sa canne qu'il s'était fait apporter:

10 — Arrive! Donne-moi mon portefeuille. Et puis, disait-il, fous le camp. Ferme bien la porte, entends-tu?

S'étant mis à sortir de son portefeuille des billets qu'il ne dépliait qu'à grand'peine et qu'il ne comptait qu'avec plus de peine encore, tantôt en les feuilletant comme un livre, tantôt 15 en les dépliant tout grands sur le lit, mais le compte n'était jamais le même.

Bien qu'il s'y employât de toutes ses forces jusqu'à se mettre en sueur, mais, comme il disait: « Je sais plus compter. Est-ce que neuf vient avant douze? Et ces chiffres qui ne veulent pas 20 tenir en place, qui vous bougent sous le nez comme des mouches! Saloperie! » Cognant de toutes ses forces sur le plancher, sa femme accourue, lui, la menaçant du poing:

— Tu fais attention à ce gamin!

Car il s'imaginait ruiné et, l'imaginant, il était ruiné; il ne 25 distinguait plus entre ses imaginations et la réalité même. Il était ce qu'il croyait être.

— On va bientôt être obligé d'aller mendier, disait-il à sa femme. J'ai plus rien.

Et, faisant allusion à Firmin:

30 — Et, comme je t'ai dit, fais attention à ce gamin. Il nous vole.

« Tu es fou! » disait Thérèse.

Mais il recommençait à se démener et à gesticuler, ce qui le jetait à la longue dans de profonds abattements où, alors, il tour-35 nait la tête vers la fenêtre, contemplant cette couleur grise dont elle était toute revêtue: c'était comme si on avait découpé des feuilles de carton qu'on avait appliquées derrière les croisées dont elles remplissaient exactement le cadre, faisant quatre rectangles gris, divisés en beaucoup de carrés par les croisillons.

C'est l'hiver à la montagne. Tout est noir. On cherche en 5 vain les forêts, les rocs et les glaciers qui étaient devant vous entièrement offerts aux yeux, ils ont disparu. Il n'y a que des nuages qui pendent autour des sommets, et les jours se succèdent parfaitement pareils, de sorte qu'à la longue ils n'en font plus qu'un seul qui semble interminable. 10

On avait permis à Anselme de se lever, il allait s'asseoir dans un vieux fauteuil dépaillé qu'on avait poussé près de la fenêtre; il avait les mains croisées sur le corbin de sa canne; il regardait à travers les fenêtres; il neigeait. On voyait les flocons descendre lentement dans le gris vers vous; vus à contre-jour ils étaient 15 noirs: on aurait dit de la cendre comme dans un incendie. Et puis, quand on abaissait les yeux, on s'apercevait qu'ils devenaient blancs en touchant le sol, où, un à un superposés, ils finissaient par faire une couche éclatante, laquelle vous envoyait d'en bas un jour dur et méchant, rabattu par les nuées, qui 20 éclairait seulement le plafond de la chambre, laissant dans l'ombre les coins et le plancher. Anselme fermait les yeux, et puis il disait: « Saleté! »

— Qu'est-ce qu'il y a?

— C'est cette neige, tire-moi de là. 25

Thérèse déplaçait le fauteuil où il y a un pauvre vieil homme assis, sa canne entre les jambes, qui se passe de temps en temps la main sur la joue et recommence:

— Saleté! c'est cette barbe qui repousse.

Il avait bien essayé de se raser, ayant suspendu son petit miroir 30 rond à encadrement de fer-blanc au montant de la fenêtre; et, s'étant tenu là, s'efforçait de tendre la peau de son menton avec sa main malade; il n'y avait pas réussi, il n'avait point de force, la peau lui avait glissé sous les doigts; et il était parti à l'aventure avec sa lame parmi la mousse de savon et ses rides qu'il n'arrivait 35 plus à aplanir, se faisant plus de coupures qu'il n'avait supprimé de barbe.

Il s'était retrouvé assis dans son fauteuil; il grognonnait des choses sous sa moustache qui s'était allongée et pendait au coin
5 de ses lèvres; puis cherchait à deviner au bruit que faisait sa femme dans quel endroit de la maison elle devait être occupée; alors, il se levait lentement, difficilement, tandis qu'on entendait craquer ses articulations; il se glissait avec le moins de bruit possible dans la cuisine où il savait qu'elle lui avait caché son
10 tabac dans le tiroir de la table de noyer qui en occupait le milieu, revenait avec son tabac, bourrait vite sa pipe, l'allumait, d'où un grand silence. Mais ce silence ne durait pas, étant suivi presque aussitôt par un violent bruit de dispute. C'est que Thérèse était survenue et s'était mise à le gronder:
15 — Tu sais bien, le médecin!

Mais lui, tapait avec sa canne:

— Je m'en fous! Est-ce que je ne me connais pas mieux qu'eux, ou quoi? Ces médecins, ce sont tous des ânes.

La salive qui lui coulait de la bouche tombait goutte à goutte
20 sur son pantalon qui finissait par être mouillé comme s'il avait plu dessus. La même scène se répétait d'ailleurs, l'instant d'après, à l'occasion d'un verre de vin qu'il voulait boire tandis que sa femme l'en empêchait, lui, tenant la bouteille, elle, s'efforçant de la lui arracher.

25 Elle lui disait:

— Ça ne peut plus continuer ainsi. Firmin lui-même en a assez. T'étonne pas s'il s'en va et si je m'en vais, moi aussi. T'étonne pas si tu es tout seul à la maison un de ces jours. Tu tâcheras de t'arranger.

30 Il ricanait.

— Allez-vous-en seulement tous, ce sera un bon débarras.

Thérèse pleurait maintenant, essuyant avec un chiffon le vin répandu sur la table.

*   *   *

Pourtant il marchait plus facilement. Il faisait le tour de la chambre avec sa canne. Il arrivait à faire bouger les doigts de sa main gauche. Il ne réussissait pas encore à siffler, mais il s'y appliquait. Il avait fini par faire rentrer le mois de décembre dans l'année, au lieu qu'avant il n'arrivait pas à faire place aux douze mois, novembre étant incompressible, ce qui lui causait une grande fatigue de tête, mais elle avait passé. Il faisait des additions avec un crayon sur une page de carnet. Il notait d'une part ce qui lui était dû et d'autre part ce qu'il devait, faisant ensuite la soustraction, et était un peu rassuré en constatant qu'elle bouclait en sa faveur. Il réalisait un peu mieux ce qui lui était arrivé. Il grognait:

— Cette femme! Ne voulait-elle pas faire venir le curé! Mais moi, je lui ai dit: « Je ne veux pas, ça porte malheur. Je ne veux pas mourir, je ne dois pas mourir! Qu'est-ce que tu deviendrais avec tout le bien sur le dos et personne pour s'en charger que toi! Et puis ce Firmin qui ne vaut pas cher. Je sais bien pourquoi il est là, c'est qu'il croit qu'il va hériter. Il se trompe bien, et toi, femme, tu t'es trompée! »

La preuve! Il levait le bras, il faisait bouger les doigts de sa main, il allongeait la jambe, il se mettait debout, il marchait dans la chambre. Et, allant jusqu'à la fenêtre: « Voilà le beau! » pendant qu'il appliquait sa bouche contre les vitres par les inter-
5 stices desquelles l'air du dehors entrait, froid et vif, avec une bonne odeur de neige.... « La preuve! disait-il, c'est que le printemps va venir, c'est que je me tiens debout! Si j'avais seulement ma pipe. La salope! elle me l'a cachée! » Et il se levait de nouveau pour aller chercher sa pipe, ne la trouvait pas
10 et pas son tabac. Se mettait en colère, tapait avec sa canne; puis, continuant à parler tout seul:

— Va seulement! La grande affaire est que je vais bientôt pouvoir me passer de toi! Je suis devenu grand, je puis me boutonner tout seul. Fais seulement tout ce que tu voudras
15 pour m'embêter, ça ne durera plus bien longtemps, quand tu arriveras le matin, tu me trouveras habillé. Je te dirai: « Tu voulais t'en aller, eh bien! tu peux seulement t'en aller, ça y est, je n'ai plus besoin de personne. » Et j'irai chercher mon tabac, moi-même, j'irai boire un verre et même deux, si ça me con-
20 vient....

Il était dans l'obscurité de la chambre, il n'a pas allumé tout de suite, il entend Thérèse qui entre.

C'est la guérison d'un vieil homme qu'on a cru qui allait mourir.

25 — Mais venez seulement voir! Et viens seulement voir, Thérèse.

Elle lui a dit:

— Comment est-ce que ça va?

— Tu n'as qu'à me regarder.

30 — Comment veux-tu que je fasse, puisque tu n'as pas allumé?

— Oh! dit-il, c'est que je pense.

— Tu penses à quoi?

— Oh! dit-il, je pense que je vais bientôt pouvoir travailler.

Et que je pourrai bientôt renvoyer Firmin. Faucher, traire,
35 semer, planter.

90

— Ta, ta, ta, dit-elle, le médecin a dit qu'il repasserait.

— Si tu crois que je vais l'attendre.

— Je ne te laisserai pas sortir.

Il se fâche une fois de plus, il donne des coups sur le plancher avec sa canne. « Il est quand même un peu plus calme », pense 5 Thérèse. Elle l'excuse. Il est vrai qu'il doit s'ennuyer. Il n'a pas tellement l'habitude de ne rien faire. Et, nous autres, c'est tous les jours qu'on se dit: « Si on pouvait se reposer », mais quand on peut enfin le faire, on voit que le repos est pire encore que la fatigue. 10

Elle a été faire le café dans la cuisine; ils ont bu le café ensemble dans la cuisine comme tous les soirs.

Ensuite, elle a voulu aider Anselme à se mettre au lit, mais voilà qu'il se met à rire:

— Fini tout ça! ma pauvre vieille. Je suis devenu grand gar- 15 çon. Je me déshabille tout seul. Je t'appellerai quand j'aurai fini.

Elle arrive avec ses bouteilles, qu'elle emmaillote dans un linge, elle les introduit dans le lit. Lui, se glisse à la place chaude. Un vieux et une vieille: elle a soixante-deux ans, il en a soixante- 20 cinq. Mais il était encore vert quand le malheur est arrivé, ayant tous ses cheveux, qui grisonnaient à peine; maigre, sec, cuit de soleil, se tenant encore bien droit, galant encore avec les filles qu'il rencontrait sur les chemins. Voilà comme on était, comme on va être de nouveau, pense-t-il, ayant ramené ses 25 jambes à lui sous les couvertures dans la bonne chaleur du lit.

*   *   *

Le médecin est revenu. Il avait dit:

— Vous pouvez sortir, mais ne brusquez rien.

La neige avait fondu. Anselme avait pris sa canne, il avait poussé la porte qui donne sur le derrière de la maison, avait 30 descendu le perron aux marches descellées qui branlaient sous le pied. Sa femme, derrière lui, lui criait: « Attention! »

Il n'était pas encore très ferme sur ses jambes, avec un reste de

91

déséquilibre dont on ne sait pas très bien s'il est dans votre tête ou dans vos jambes; il se tenait de la main à la rampe de pierre. Il avait planté sur sa tête un vieux chapeau de jonc aux bords déchiquetés, un chapeau de soleil, un vrai chapeau de vigneron 5 (encore qu'on soit ici bien au-dessus des vignes), et il riait dans l'ombre que son chapeau lui faisait tomber sur la figure jusqu'à la bouche, tout en s'avançant dans la cour où il penchait de droite et de gauche, comme un mât de bateau à l'ancre par gros temps.

10 — Doucement! lui criait Thérèse.

— N'aie pas peur, disait-il, je suis solide. J'ai tenu le coup.

Le jardin est de l'autre côté de la maison. C'est un bout de terrain pointu qui s'enfonce là entre deux barrières faites de gros pieux fichés en terre et de lattes de bois clouées transversalement 15 dessus. Du côté du chemin, à votre gauche, il y a un ruisseau qui coule, bordé de vieux osiers étêtés, pareils à d'énormes têtes bossuées d'où repousse chaque fois une abondante chevelure en désordre. Ils étaient tout enrubannés, maintenant, ces osiers, à cause des petites feuilles d'un jaune frais qui venaient de s'ouvrir 20 tout au long des branches. Quant au jardin, on n'y avait pas encore touché. « Mais ça me regarde », disait Anselme.

Et, en effet, il avait empoigné ses outils. « Je ne vais pas me lancer tout de suite dans les gros travaux; on trouvera bien quelqu'un pour les fossoyages. Thérèse, disait-il, tu vas pou- 25 voir te reposer, c'est moi qui ferai ton ouvrage. »

Il se servait de son sécateur, il raclait les mauvaises herbes. C'était le mois de mai. Les gens qui circulaient sur le chemin, de l'autre côté du ruisseau, lui disaient bonjour en passant. On ne les distinguait pas très bien quand ils étaient en mouvement, 30 cachés qu'ils étaient par les osiers à la verdure qui devenait compacte; ils paraissaient, disparaissaient, reparaissaient plus loin; mais voilà à présent un homme qui s'arrête, alors on le voit, qui vous dit:

— Ça va?

35 Et Anselme:

92

— Ça va.

Dans le grand soleil revenu, dans le bon gros soleil qui réchauffe, et qui vient activer sur votre côté gauche la machine à pomper du cœur. Tout va bien, n'est-ce pas?

Anselme était en train de tailler un pêcher; on l'a appelé depuis sur le chemin. Cette fois, c'était une femme.

— Eh bien! disait-on, il y a longtemps, Anselme ... Mais vous voilà de nouveau tout jeunet.

— Bien sûr, dit-il, mais qui est-ce?

Pendant qu'il s'était tourné vers le chemin, mais on ne distinguait pas bien qui était là.

— Est-ce toi, Joséphine? Il me semble que je reconnais ta voix.

— C'est moi.

Et lui, tout joyeux:

— Joséphine, alors, montre-toi! Moi, disait-il, je n'ose pas. Je suis comme un poireau qu'on a laissé blanchir trop longtemps à la cave. C'est qu'on m'a tenu enfermé. Thérèse, tu comprends. Et il m'a bien fallu obéir. La charogne! Une brave femme quand même! Elle m'a soigné tout l'hiver. Et on s'est chicanés, mais ça ne compte plus, parce que, tu vois, c'est fini. J'ai ma pipe.

Il montrait qu'il avait sa pipe. Il l'a tirée de sa poche en même temps que le paquet de tabac. Il disait:

— Je vais venir, donne-moi le temps d'allumer.

Il a allumé sa pipe; il a dit:

— Mais, encore une fois, montre-toi pour que je te voie comme il faut.

Alors elle a paru entre deux des osiers reverdis aux fines branches retombantes que l'air faisait bouger comme des lanières de fouet.

— Ah! charrette, bien sûr que c'est toi, bien sûr que je me souviens. C'était le vieux temps, seulement peut-être qu'il va revenir. Je ne te dégoûte pas trop, c'est vrai? Alors tout va bien.

93

Elle avait un fichu rouge noué autour de la tête; elle renversait la tête en riant; alors on voyait le dessous de son menton se gonfler à petits coups comme la gorge d'un pigeon. Toutes les tentations de la terre. Et c'est ainsi qu'Anselme s'est encore
5 rapproché.

Il a dit:

— Donne-moi la main.

Il recommençait:

— Tu es toujours belle! Qu'est-ce qu'ils disent, tes galants,
10 Joséphine?

— Ce qu'ils disent? . . .

Elle riait. Elle renversait de nouveau la tête. Des joues brunes. Une bouche mouillée. Des paupières dont on aurait dit qu'elle avait de la peine à les soulever tellement le poids de
15 ses cils était grand.

— Heureusement que tu es venue. Tu me manquais. Je ne l'aurais pas eu sans toi, parce que c'est toi, le vrai soleil.

Il y a eu alors un craquement comme quand une pièce de bois casse, il y a eu le bruit de quelque chose qui tombe, il y a eu un
20 cri de femme bref et aigu comme un coup de sifflet.

Un homme est étendu tout de son long sur la barrière écrasée, les mains appuyées contre la poitrine, la tête au-dessus du ruisseau.

C'est Anselme qui est mort.

CHARLES–FERDINAND RAMUZ
Nouvelles
BERNARD GRASSET

MARCEL AYMÉ

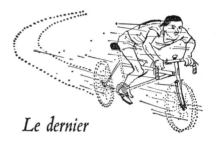

Le dernier

IL y avait un coureur cycliste appelé Martin qui arrivait toujours le dernier, et les gens riaient de le voir si loin derrière
les autres coureurs. Son maillot était d'un bleu très doux,
avec une petite pervenche cousue sur le côté gauche de la poi-
5 trine. Courbé sur son guidon, et le mouchoir entre les dents,
il pédalait avec autant de courage que le premier. Dans les
montées les plus dures, il se dépensait avec tant de ferveur qu'il
avait une belle flamme dans les yeux; et chacun disait en voyant
son regard clair et ses muscles gonflés d'effort:

10   — Allons, voilà Martin qui a l'air d'avoir la forme. C'est
bien tant mieux. Cette fois il va arriver à Tours (ou à Bordeaux,
ou à Orléans, ou à Dunkerque), cette fois il va arriver au milieu
du peloton.

Mais cette fois-là était comme les autres, et Martin arrivait
15 quand même le dernier. Il gardait toujours l'espoir de faire
mieux, mais il était un peu ennuyé parce qu'il avait une femme
et des enfants, et que la place de dernier ne rapporte pas beaucoup d'argent. Il était ennuyé, et pourtant on ne l'entendait
jamais se plaindre que le sort lui eût été injuste. Quand il ar-
20 rivait à Tours (ou à Marseille, ou à Cherbourg), la foule riait
et faisait des plaisanteries:

— Eh! Martin! c'est toi le premier en commençant par la
queue!

Et lui, qui entendait leurs paroles, il n'avait pas même un
25 mouvement de mauvaise humeur, et s'il jetait un coup d'œil
vers la foule, c'était avec un sourire doux, comme pour lui dire:

« Oui, c'est moi, Martin. C'est moi le dernier. Ça ira mieux une autre fois. » Ses compagnons de route lui demandaient après la course:

— Alors, comme ça, tu es content? ça a bien marché?

— Oh oui! répondait Martin, je suis plutôt content.

Il ne voyait pas que les autres se moquaient de lui, et quand ils riaient, il riait aussi. Même, il les regardait sans envie s'éloigner au milieu de leurs amis, dans un bruit de fête et de compliments. Lui, il restait seul, car il n'y avait jamais personne pour l'attendre. Sa femme et ses enfants habitaient un village sur la route de Paris à Orléans, et il les voyait de loin en loin, dans un éclair, quand la course passait par là. Les personnes qui ont un idéal ne peuvent pas vivre comme tout le monde, c'est compréhensible. Martin aimait bien sa femme, et ses enfants aussi, mais il était coureur cycliste, et il courait, sans s'arrêter entre les étapes. Il envoyait un peu d'argent chez lui quand il en avait et il pensait souvent à sa famille, pas pendant la course (il avait autre chose à faire), mais le soir, à l'étape, en massant ses jambes fatiguées par la longue route.

Avant de s'endormir, Martin faisait sa prière à Dieu et lui parlait de l'étape qu'il avait courue dans la journée, sans songer qu'il pût abuser de sa patience. Il croyait que Dieu s'intéressait aux courses de bicyclette, et il avait bien raison. Si Dieu ne connaissait pas à fond tous les métiers, il ne saurait pas le mal qu'on a pour avoir une âme présentable.

— Mon Dieu, disait Martin, c'est encore pour la course d'aujourd'hui. Je ne sais pas ce qui se passe, mais c'est toujours la même chose. J'ai pourtant une bonne bécane, on ne peut pas dire. L'autre jour, je me suis demandé s'il n'y avait pas des fois quelque chose dans le pédalier. J'ai donc démonté toutes les pièces, une à une, tranquillement sans m'énerver, comme je vous cause. J'ai vu qu'il n'y avait rien dans le pédalier, ni ailleurs. Et celui qui viendrait me dire que cette bécane-là n'est pas une bonne bécane, moi, je lui répondrais que c'est une bonne bécane, une bonne marque. Alors?... Bien entendu qu'il y a la ques-

tion de l'homme: le muscle, la volonté, l'intelligence. Mais
l'homme, mon Dieu, c'est justement votre affaire. Voilà ce
que je me dis, et c'est pourquoi je ne me plains pas. Je sais bien
que dans les courses, il faut un dernier et qu'il n'y a pas de honte
5 à être le dernier. Je ne me plains pas, non. C'est plutôt pour
dire.

Là-dessus, il fermait les yeux, dormait sans rêves jusqu'au
matin et, en s'éveillant, disait avec un sourire heureux:

— Aujourd'hui, c'est moi qui vais arriver le premier.

10 Il riait de plaisir en songeant au bouquet qu'une petite fille
allait lui offrir, parce qu'il serait le premier, et aussi à l'argent
qu'il enverrait à sa femme. Il lui semblait lire déjà dans le journal: *Martin enlève l'étape Poligny-Strasbourg; après une course
mouvementée, il est vainqueur au sprint.* A la réflexion, il était
15 peiné pour le deuxième et pour les suivants, surtout le dernier
qu'il aimait déjà, sans le connaître.

Le soir, Martin arrivait à Strasbourg à sa place habituelle,
parmi les rires et les plaisanteries des spectateurs. Il était un peu
étonné, mais le lendemain, il attaquait l'étape suivante avec la
20 même certitude d'être vainqueur. Et chaque matin, chaque
départ de course, voyait se renouveler ce grand miracle d'espérance.

* * *

A la veille de la course Paris-Marseille, le bruit courut dans
les milieux cyclistes de la capitale que Martin ménageait au

public une surprise éclatante, et cinquante-trois journalistes vinrent aussitôt l'interviewer.

— Ce que je pense du théâtre? répondit Martin. Un jour que j'étais de passage à Carcassonne, je me suis trouvé de voir jouer *Faust* au théâtre municipal, et j'ai eu de la peine pour Marguerite. Je dis que si Faust avait su ce que c'est qu'une bonne bécane, il n'aurait pas été en peine d'employer sa jeunesse, et il n'aurait pas pensé à faire des misères à cette fille-là qui aurait sûrement trouvé à se marier. Voilà mon avis. Maintenant, vous me demandez qui est-ce qui sera le premier à Marseille, et je vais vous répondre, sans me cacher de rien: C'est moi qui gagnerai la course.

Les journaux du soir publiaient son portrait. Il n'en ressentit ni plaisir, ni orgueil, n'ayant pas besoin de tout ce bruit pour espérer. Le lendemain matin, dès la sortie de Paris, il prit la place de dernier et la conserva jusqu'au bout. En entrant à Arles, il apprit que ses concurrents étaient arrivés à Marseille, mais il ne ralentit pas son effort. Il continuait à pédaler avec toutes ses forces et, au fond de son cœur, bien que la course fût terminée pour les autres, il ne désespérait pas tout à fait d'arriver le premier. Les journaux, furieux de s'être trompés, le traitèrent de fanfaron. Cela n'empêchait pas Martin d'espérer.

* * *

A mesure qu'il croissait en âge et en expérience, Martin devenait plus ardent à la lutte, et courait presque autant de courses qu'il y a de saints dans le calendrier. Il ne connaissait pas de repos. Venait-il de terminer une course qu'il s'inscrivait aussitôt pour un nouveau départ. Ses tempes commençaient à blanchir, son dos à se voûter, et il était le doyen des coureurs 5 cyclistes. Mais il ne le savait pas et semblait même ignorer son âge. Comme autrefois, il arrivait le dernier, mais avec un retard deux ou trois fois plus considérable. Il disait dans ses prières:

— Mon Dieu, je ne comprends pas, je ne sais pas à quoi ça 10 tient...

Un jour d'été qu'il courait Paris-Orléans, il attaquait une côte qu'il connaissait bien, et il s'aperçut qu'il roulait à plat. Tandis qu'il changeait de boyau sur le bord de la route, deux femmes s'approchèrent, et l'une d'elles, qui tenait sur le bras un enfant 15 de quelques mois, lui demanda:

— Vous ne connaissez pas un nommé Martin qui est coureur cycliste?

Il répondit machinalement:

— C'est moi, Martin. C'est moi le dernier. Ça ira mieux 20 une autre fois.

— Je suis ta femme, Martin.

Il leva la tête, sans s'interrompre d'ajuster le boyau sur la jante, et dit avec tendresse:

— Je suis bien content... Je vois que les enfants poussent 25 aussi, ajouta-t-il en regardant le bébé qu'il prenait pour l'un de ses enfants.

Son épouse eut un air gêné, et, montrant la jeune femme qui l'accompagnait:

— Martin, dit-elle, voilà ta fille, qui est aussi grande que toi, 30 maintenant. Elle est mariée, et tes garçons sont mariés...

— Je suis bien content... Je les aurais crus moins vieux. Comme le temps passe... Et c'est mon petit-fils que tu tiens dans tes bras?

La jeune femme détourna la tête, et ce fut sa mère qui répon-
35 dit:

Le dernier

— Non, Martin, ce n'est pas son fils. C'est le mien ... Je voyais que tu ne rentrais pas ...

Martin retourna à son boyau et se mit à le gonfler sans mot dire. Quand il se releva, il vit des larmes couler sur le visage de sa femme et murmura: 5

— Dans le métier de coureur, tu sais ce que c'est, on ne s'appartient pas ... Je pense souvent à toi, mais bien sûr, ce n'est pas comme quand on est là ...

L'enfant s'était mis à pleurer, et il semblait que rien ne pût apaiser ses cris. Martin en fut bouleversé. Avec sa pompe à   10
bicyclette, il lui souffla dans le nez, disant d'une petite voix de tête:

— Tu tu tu ...

Le bambin se mit à rire. Martin l'embrassa et dit adieu à sa famille.   15

— J'ai perdu cinq minutes, mais je ne les regrette pas, surtout que je peux me rattraper facilement. Cette course-là est pour moi.

Il remonta sur sa machine et longtemps les deux femmes le suivirent des yeux dans la montée. Debout sur ses pédales, il   20
portait le poids de son corps tantôt d'un côté, tantôt de l'autre.

— Comme il a du mal, murmurait sa femme. Autrefois, il y a seulement quinze ans, il grimpait toutes les côtes rien qu'avec ses jambes, sans jamais bouger de sa selle.

Martin approchait du sommet de la montée, il allait de plus   25
en plus lentement, et l'on croyait à chaque instant qu'il allait s'arrêter. Enfin, sa machine se posa sur la ligne d'horizon, il fit roue libre une seconde, et son maillot bleu fondit dans le ciel d'été.

Martin connaissait mieux que personne toutes les routes de   30
France, et chacune des milliers de bornes kilométriques avait pour lui un visage familier, ce qui paraît presque incroyable. Depuis longtemps, il montait les côtes à pied en poussant sa machine avec un halètement de fatigue, mais il croyait toujours en son étoile.   35

101

— Je me rattraperai à la descente, murmurait-il.

Et en arrivant à l'étape, le soir, ou quelquefois le lendemain, il était encore étonné de n'avoir pas la première place.

— Mon Dieu, je ne sais pas ce qui s'est passé ...

5 Des rides profondes sillonnaient son visage décharné qui avait la couleur des chemins de l'automne, ses cheveux étaient tout blancs, mais dans le regard de ses yeux usés brillait une flamme de jeunesse. Son maillot bleu flottait sur son torse maigre et voûté, mais il n'était plus bleu et semblait fait de brume et de

10 poussière. N'ayant point d'argent pour prendre le train, il ne le regrettait pas. Quand il arrivait à Bayonne où la course était déjà oubliée depuis trois jours, il remontait en selle aussitôt pour aller prendre à Roubaix le départ d'une autre course. Il parcourait toute la France, à pied dans les montées, pédalant

15 en palier et dormant pendant qu'il faisait roue libre aux descentes, ne s'arrêtant ni jour ni nuit.

— Je m'entraîne, disait-il.

Mais il apprenait à Roubaix que les coureurs étaient partis depuis une semaine. Il hochait la tête et murmurait en remon-

20 tant sur sa bécane:

— C'est dommage, je l'aurais sûrement gagnée. Enfin, je vais toujours aller courir Grenoble-Marseille. J'ai justement besoin de me mettre un peu aux cols des Alpes.

Et à Grenoble, il arrivait trop tard, et à Nantes, à Paris, à

25 Perpignan, à Brest, à Cherbourg, il arrivait toujours trop tard.

— Dommage, disait-il d'une petite voix chevrottante, c'est vraiment dommage. Mais je vais me rattraper.

Tranquillement, il quittait la Provence pour gagner la Bretagne, ou l'Artois pour le Roussillon, ou le Jura pour la Vendée,

30 et de temps à autre, en clignant un œil, il disait aux bornes kilométriques:

— Je m'entraîne.

Martin devint si vieux qu'il ne voyait presque plus. Mais ses amies les bornes kilométriques, et même les plus petites qui sont

35 tous les cent mètres, lui faisaient comprendre qu'il eût à tourner

à droite, ou à gauche. Sa bicyclette avait beaucoup vieilli, elle aussi. Elle était d'une marque inconnue, si ancienne que les historiens n'en avaient jamais entendu parler. La peinture avait disparu, la rouille même était cachée par la boue et par la poussière. Les roues avaient perdu presque tous leurs rayons, mais Martin était si léger, que les cinq ou six restants suffisaient à le porter.

— Mon Dieu, disait-il, j'ai pourtant une bonne bécane. Je n'ai pas à me plaindre de ce côté-là.

Il roulait sur les jantes, et comme sa machine faisait un grand bruit de ferraille, les gamins lui jetaient des pierres en criant:

— Au fou! à la ferraille! à l'hôpital!

—Je vais me rattraper, répondait Martin qui n'entendait pas bien.

Il y avait bien des années qu'il cherchait à s'engager dans une course, et il arrivait toujours trop tard. Une fois, il quitta Narbonne pour se rendre à Paris où le départ du Tour de France devait être donné dans la semaine. Il arriva l'année suivante et il eut la joie d'apprendre que les coureurs n'étaient partis que de la veille.

—Je vais les rejoindre dans la soirée, dit-il, et j'enlèverai la deuxième étape.

Comme il enfourchait sa machine, au sortir de la porte Maillot, un camion le projeta sur la chaussée. Martin se releva, serrant dans ses mains le guidon de sa bécane fracassée, et dit avant de mourir:

—Je vais me rattraper.

MARCEL AYMÉ
Le nain
GALLIMARD

M A R C E L   A Y M É

Le passe-muraille

IL y avait à Montmartre, au troisième étage du 75 *bis* de la rue d'Orchampt, un excellent homme nommé Dutilleul qui possédait le don singulier de passer à travers les murs sans en être incommodé. Il portait un binocle, une petite barbiche
5 noire et il était employé de troisième classe au ministère de l'Enregistrement. En hiver, il se rendait à son bureau par l'autobus et à la belle saison, il faisait le trajet à pied, sous son chapeau melon.

Dutilleul venait d'entrer dans sa quarante-troisième année
10 lorsqu'il eut la révélation de son pouvoir. Un soir, une courte panne d'électricité l'ayant surpris dans le vestibule de son petit appartement de célibataire, il tâtonna un moment dans les ténèbres et, le courant revenu, se trouva sur le palier du troisième étage. Comme sa porte d'entrée était fermée à clé de l'intérieur,
15 l'incident lui donna à réfléchir et, malgré les remontrances de sa raison, il se décida à rentrer chez lui comme il en était sorti, en passant à travers la muraille. Cette étrange faculté qui semblait ne répondre à aucune de ses aspirations, ne laissa pas de le contrarier un peu et, le lendemain samedi, profitant de la semaine
20 anglaise, il alla trouver un médecin du quartier pour lui exposer son cas. Le docteur put se convaincre qu'il disait vrai et, après examen, découvrit la cause du mal dans un durcissement hélicoïdal de la paroi strangulaire du corps thyroïde. Il prescrivit le surmenage intensif et, à raison de deux cachets par an, l'absorp-
25 tion de poudre de pirette tétravalente, mélange de farine de riz et d'hormone de centaure.

Ayant absorbé un premier cachet, Dutilleul rangea le médicament dans un tiroir et n'y pensa plus. Quant au surmenage intensif, son activité de fonctionnaire était réglée par des usages ne s'accommodant d'aucun excès, et ses heures de loisir, consacrées à la lecture du journal et à sa collection de timbres, ne 5 l'obligeaient pas non plus à une dépense déraisonnable d'énergie. Au bout d'un an, il avait donc gardé intacte la faculté de passer à travers les murs, mais il ne l'utilisait jamais, sinon par inadvertance, étant peu curieux d'aventures et rétif aux entraînements de l'imagination. L'idée ne lui venait même pas de rentrer chez 10 lui autrement que par la porte et après l'avoir dûment ouverte en faisant jouer la serrure. Peut-être eût-il vieilli dans la paix de ses habitudes sans avoir la tentation de mettre ses dons à l'épreuve, si un événement extraordinaire n'était venu soudain bouleverser son existence. M. Mouron, son sous-chef de bureau, 15 appelé à d'autres fonctions, fut remplacé par un certain M. Lécuyer, qui avait la parole brève et la moustache en brosse. Dès le premier jour, le nouveau sous-chef vit de très mauvais œil que Dutilleul portât un lorgnon à chaînette et une barbiche noire, et il affecta de le traiter comme une vieille chose gênante 20 et un peu malpropre. Mais le plus grave était qu'il prétendît introduire dans son service des réformes d'une portée considérable et bien faites pour troubler la quiétude de son subordonné. Depuis vingt ans, Dutilleul commençait ses lettres par la formule suivante: « Me reportant à votre honorée du tantième 25 courant et, pour mémoire, à notre échange de lettres antérieur, j'ai l'honneur de vous informer . . . » Formule à laquelle M. Lécuyer entendit substituer une autre d'un tour plus américain: « En réponse à votre lettre du tant, je vous informe . . . » Dutilleul ne put s'accoutumer à ces façons épistolaires. Il revenait 30 malgré lui à la manière traditionnelle, avec une obstination machinale qui lui valut l'inimitié grandissante du sous-chef. L'atmosphère du ministère de l'Enregistrement lui devenait presque pesante. Le matin, il se rendait à son travail avec appréhension, et le soir, dans son lit, il lui arrivait bien souvent 35 de méditer un quart d'heure entier avant de trouver le sommeil.

Écœuré par cette volonté rétrograde qui compromettait le succès de ses réformes, M. Lécuyer avait relégué Dutilleul dans 5 un réduit à demi obscur, attenant à son bureau. On y accédait par une porte basse et étroite donnant sur le couloir et portant encore en lettres capitales l'inscription: DÉBARRAS. Dutilleul avait accepté d'un cœur résigné cette humiliation sans précédent, mais chez lui, en lisant dans son journal le récit de quelque sanglant fait 10 divers, il se surprenait à rêver que M. Lécuyer était la victime.

Un jour, le sous-chef fit irruption dans le réduit en brandissant une lettre et il se mit à beugler:

— Recommencez-moi ce torchon! Recommencez-moi cet innommable torchon qui déshonore mon service!

15 Dutilleul voulut protester, mais M. Lécuyer, la voix tonnante, le traita de cancrelat routinier, et, avant de partir, froissant la lettre qu'il avait en main, la lui jeta au visage. Dutilleul était modeste, mais fier. Demeuré seul dans son réduit, il fit un peu de température et, soudain, se sentit en proie à l'inspiration. 20 Quittant son siège, il entra dans le mur qui séparait son bureau de celui du sous-chef, mais il y entra avec prudence, de telle sorte que sa tête seule émergeât de l'autre côté. M. Lécuyer, assis à sa table de travail, d'une plume encore nerveuse déplaçait une virgule dans le texte d'un employé, soumis à son approba-25 tion, lorsqu'il entendit tousser dans son bureau. Levant les yeux, il découvrit avec un effarement indicible la tête de Dutilleul, collée au mur à la façon d'un trophée de chasse. Et cette tête était vivante. A travers le lorgnon à chaînette, elle dardait sur lui un regard de haine. Bien mieux, la tête se mit à parler.

30 — Monsieur, dit-elle, vous êtes un voyou, un butor et un galopin.

Béant d'horreur, M. Lécuyer ne pouvait détacher les yeux de cette apparition. Enfin, s'arrachant à son fauteuil, il bondit dans le couloir et courut jusqu'au réduit. Dutilleul, le porte-35 plume à la main, était installé à sa place habituelle, dans une atti-

106

tude paisible et laborieuse. Le sous-chef le regarda longuement et, après avoir balbutié quelques paroles, regagna son bureau. A peine venait-il de s'asseoir que la tête réapparaissait sur la muraille.

— Monsieur, vous êtes un voyou, un butor et un galopin. 5

Au cours de cette seule journée, la tête redoutée apparut vingt-trois fois sur le mur et, les jours suivants, à la même cadence. Dutilleul, qui avait acquis une certaine aisance à ce jeu, ne se contentait plus d'invectiver contre le sous-chef. Il proférait des menaces obscures, s'écriant par exemple d'une 10 voix sépulcrale, ponctuée de rires vraiment démoniaques:

— Garou! garou! Un poil de loup! (*rire*). Il rôde un frisson à décorner tous les hiboux (*rire*).

Ce qu'entendant, le pauvre sous-chef devenait un peu plus pâle, un peu plus suffocant, et ses cheveux se dressaient bien droits 15 sur sa tête et il lui coulait dans le dos d'horribles sueurs d'agonie. Le premier jour, il maigrit d'une livre. Dans la semaine qui suivit, outre qu'il se mit à fondre presque à vue d'œil, il prit l'habitude de manger le potage avec sa fourchette et de saluer militairement les gardiens de la paix. Au début de la deuxième 20 semaine, une ambulance vint le prendre à son domicile et l'emmena dans une maison de santé.

Dutilleul, délivré de la tyrannie de M. Lécuyer, put revenir à ses chères formules: « Me reportant à votre honorée du tantième courant . . . » Pourtant, il était insatisfait. Quelque chose 25 en lui réclamait, un besoin nouveau, impérieux, qui n'était rien de moins que le besoin de passer à travers les murs. Sans doute le pouvait-il faire aisément, par exemple chez lui, et du reste, il n'y manqua pas. Mais l'homme qui possède des dons brillants ne peut se satisfaire longtemps de les exercer sur un objet 30 médiocre. Passer à travers les murs ne saurait d'ailleurs constituer une fin en soi. C'est le départ d'une aventure, qui appelle une suite, un développement et, en somme, une rétribution. Dutilleul le comprit très bien. Il sentait en lui un besoin d'expansion, un désir croissant de s'accomplir et de se 35

surpasser, et une certaine nostalgie qui était quelque chose comme l'appel de derrière le mur. Malheureusement, il lui manquait un but. Il chercha son inspiration dans la lecture du journal, particulièrement aux chapitres de la politique et du sport, qui
5 lui semblaient être des activités honorables, mais s'étant finalement rendu compte qu'elles n'offraient aucun débouché aux personnes qui passent à travers les murs, il se rabattit sur le fait divers qui se révéla des plus suggestifs.

Le premier cambriolage auquel se livra Dutilleul eut lieu dans
10 un grand établissement de crédit de la rive droite. Ayant traversé une douzaine de murs et de cloisons, il pénétra dans divers coffres-forts, emplit ses poches de billets de banque et, avant de se retirer, signa son larcin à la craie rouge, du pseudonyme de Garou-Garou, avec un fort joli paraphe qui fut
15 reproduit le lendemain par tous les journaux. Au bout d'une semaine, ce nom de Garou-Garou connut une extraordinaire célébrité. La sympathie du public allait sans réserve à ce prestigieux cambrioleur qui narguait si joliment la police. Il se signalait chaque nuit par un nouvel exploit accompli soit au
20 détriment d'une banque, soit à celui d'une bijouterie ou d'un riche particulier. A Paris comme en province, il n'y avait point de femme un peu rêveuse qui n'eût le fervent désir d'appartenir corps et âme au terrible Garou-Garou. Après le vol du fameux diamant de Burdigala et le cambriolage du Crédit municipal,
25 qui eurent lieu la même semaine, l'enthousiasme de la foule atteignit au délire. Le ministre de l'Intérieur dut démissionner, entraînant dans sa chute le ministre de l'Enregistrement. Cependant, Dutilleul devenu l'un des hommes les plus riches de Paris, était toujours ponctuel à son bureau et on parlait de lui
30 pour les palmes académiques. Le matin, au ministère de l'Enregistrement, son plaisir était d'écouter les commentaires que faisaient les collègues sur ses exploits de la veille. « Ce Garou-Garou, disaient-ils, est un homme formidable, un surhomme, un génie. » En entendant de tels éloges, Dutilleul devenait
35 rouge de confusion et, derrière le lorgnon à chaînette, son regard

brillait d'amitié et de gratitude. Un jour, cette atmosphère de sympathie le mit tellement en confiance qu'il ne crut pas pouvoir garder le secret plus longtemps. Avec un reste de timidité, il considéra ses collègues groupés autour d'un journal relatant le cambriolage de la Banque de France, et déclara d'une voix 5 modeste: « Vous savez, Garou-Garou, c'est moi. » Un rire énorme et interminable accueillit la confidence de Dutilleul qui reçut, par dérision, le surnom de Garou-Garou. Le soir, à l'heure de quitter le ministère, il était l'objet de plaisanteries sans fin de la part de ses camarades et la vie lui semblait moins belle. 10

Quelques jours plus tard, Garou-Garou se faisait pincer par une ronde de nuit dans une bijouterie de la rue de la Paix. Il avait apposé sa signature sur le comptoir-caisse et s'était mis à chanter une chanson à boire en fracassant différentes vitrines à l'aide d'un hanap en or massif. Il lui eût été facile de s'enfoncer 15 dans un mur et d'échapper ainsi à la ronde de nuit, mais tout porte à croire qu'il voulait être arrêté, et probablement à seule fin de confondre ses collègues dont l'incrédulité l'avait mortifié. Ceux-ci, en effet, furent bien surpris, lorsque les journaux du lendemain publièrent en première page la photographie de 20 Dutilleul. Ils regrettèrent amèrement d'avoir méconnu leur génial camarade et lui rendirent hommage en se laissant pousser une petite barbiche. Certains même, entraînés par le remords et l'admiration, tentèrent de se faire la main sur le portefeuille ou la montre de famille de leurs amis et connaissances. 25

On jugera sans doute que le fait de se laisser prendre par la police pour étonner quelques collègues témoigne d'une grande légèreté, indigne d'un homme exceptionnel, mais le ressort apparent de la volonté est fort peu de chose dans une telle détermination. En renonçant à la liberté, Dutilleul croyait céder à un 30 orgueilleux désir de revanche, alors qu'en réalité il glissait simplement sur la pente de sa destinée. Pour un homme qui passe à travers les murs, il n'y a point de carrière un peu poussée s'il n'a tâté au moins une fois de la prison. Lorsque Dutilleul pénétra dans les locaux de la Santé, il eut l'impression d'être 35

109

gâté par le sort. L'épaisseur des murs était pour lui un véritable régal. Le lendemain même de son incarcération, les gardiens découvrirent avec stupeur que le prisonnier avait planté un clou dans le mur de sa cellule et qu'il y avait accroché une montre en
5 or appartenant au directeur de la prison. Il ne put ou ne voulut révéler comment cet objet était entré en sa possession. La montre fut rendue à son propriétaire et, le lendemain, retrouvée au chevet de Garou-Garou avec le tome premier des *Trois Mousquetaires* emprunté à la bibliothèque du directeur. Le per-
10 sonnel de la Santé était sur les dents. Les gardiens se plaignaient en outre de recevoir des coups de pied dans le derrière, dont la provenance était inexplicable. Il semblait que les murs eussent, non plus des oreilles, mais des pieds. La détention de Garou-Garou durait depuis une semaine, lorsque le directeur de la
15 Santé, en pénétrant un matin dans son bureau, trouva sur sa table la lettre suivante:

« Monsieur le directeur. Me reportant à notre entretien du 17 courant et, pour mémoire, à vos instructions générales du 15 mai de l'année dernière, j'ai l'honneur de vous informer que
20 je viens d'achever la lecture du second tome des *Trois Mousquetaires* et que je compte m'évader cette nuit entre onze heures vingt-cinq et onze heures trente-cinq. Je vous prie, monsieur le directeur, d'agréer l'expression de mon profond respect. GAROU–GAROU. »
25 Malgré l'étroite surveillance dont il fut l'objet cette nuit-là, Dutilleul s'évada à onze heures trente. Connue du public le lendemain matin, la nouvelle souleva partout un enthousiasme magnifique. Cependant, ayant effectué un nouveau cambriolage qui mit le comble à sa popularité, Dutilleul semblait peu sou-
30 cieux de se cacher et circulait à travers Montmartre sans aucune précaution. Trois jours après son évasion, il fut arrêté rue Caulaincourt au café du Rêve, un peu avant midi, alors qu'il buvait un vin blanc citron avec des amis.

Reconduit à la Santé et enfermé au triple verrou dans un
35 cachot ombreux, Garou-Garou s'en échappa le soir même et

alla coucher à l'appartement du directeur, dans la chambre d'ami. Le lendemain matin, vers neuf heures, il sonnait la bonne pour avoir son petit déjeuner et se laissait cueillir au lit, sans résistance, par les gardiens alertés. Outré, le directeur établit un poste de garde à la porte de son cachot et le mit au pain 5 sec. Vers midi, le prisonnier s'en fut déjeuner dans un restaurant voisin de la prison et, après avoir bu son café, téléphona au directeur.

— Allo! Monsieur le directeur, je suis confus, mais tout à l'heure, au moment de sortir, j'ai oublié de prendre votre 10 portefeuille, de sorte que je me trouve en panne au restaurant. Voulez-vous avoir la bonté d'envoyer quelqu'un pour régler l'addition?

Le directeur accourut en personne et s'emporta jusqu'à proférer des menaces et des injures. Atteint dans sa fierté, Dutilleul 15 s'évada la nuit suivante et pour ne plus revenir. Cette fois, il prit la précaution de raser sa barbiche noire et remplaça son lorgnon à chaînette par des lunettes en écaille. Une casquette de sport et un costume à larges carreaux avec culotte de golf achevèrent de le transformer. Il s'installa dans un petit apparte- 20 ment de l'avenue Junot où, dès avant sa première arrestation, il

111

avait fait transporter une partie de son mobilier et les objets
auxquels il tenait le plus. Le bruit de sa renommée commençait
à le lasser et, depuis son séjour à la Santé, il était un peu blasé
sur le plaisir de passer à travers les murs. Les plus épais, les plus
5 orgueilleux, lui semblaient maintenant de simples paravents, et
il rêvait de s'enfoncer au cœur de quelque massive pyramide.
Tout en mûrissant le projet d'un voyage en Égypte, il menait
une vie des plus paisibles, partagée entre sa collection de timbres,
le cinéma et de longues flâneries à travers Montmartre. Sa
10 métamorphose était si complète qu'il passait, glabre et lunetté
d'écaille, à côté de ses meilleurs amis sans être reconnu. Seul le
peintre Gen Paul, à qui rien ne saurait échapper d'un changement
survenu dans la physionomie d'un vieil habitant du quartier,
avait fini par pénétrer sa véritable identité. Un matin qu'il se
15 trouva nez à nez avec Dutilleul au coin de la rue de l'Abreuvoir,
il ne put s'empêcher de lui dire dans son rude argot:

— Dis donc, je vois que tu t'es miché en gigolpince pour
tétarer ceux de la sûrepige — ce qui signifie à peu près en
langage vulgaire: je vois que tu t'es déguisé en élégant pour
20 confondre les inspecteurs de la Sûreté.

— Ah! murmura Dutilleul, tu m'as reconnu!

Il en fut troublé et décida de hâter son départ pour l'Égypte.
Ce fut l'après-midi de ce même jour qu'il devint amoureux
d'une beauté blonde rencontrée deux fois rue Lepic à un quart
25 d'heure d'intervalle. Il en oublia aussitôt sa collection de timbres et l'Égypte et les Pyramides. De son côté, la blonde l'avait
regardé avec beaucoup d'intérêt. Il n'y a rien qui parle à
l'imagination des jeunes femmes d'aujourd'hui comme des
culottes de golf et une paire de lunettes en écaille. Cela sent
30 son cinéaste et fait rêver cocktails et nuits de Californie. Malheureusement, la belle, Dutilleul en fut informé par Gen Paul,
était mariée à un homme brutal et jaloux. Ce mari soupçonneux, qui menait d'ailleurs une vie de bâtons de chaise, délaissait
régulièrement sa femme entre dix heures du soir et quatre
35 heures du matin, mais avant de sortir, prenait la précaution de

112

la boucler dans sa chambre, à deux tours de clé, toutes persiennes fermées au cadenas. Dans la journée, il la surveillait étroitement, lui arrivant même de la suivre dans les rues de Montmartre.

— Toujours à la biglouse, quoi. C'est de la grosse nature de 5 truand qu'admet pas qu'on ait des vouloirs de piquer dans son réséda.

Mais cet avertissement de Gen Paul ne réussit qu'à enflammer Dutilleul. Le lendemain, croisant la jeune femme rue Tholozé, il osa la suivre dans une crémerie et, tandis qu'elle attendait son 10 tour d'être servie, il lui dit qu'il l'aimait respectueusement, qu'il savait tout: le mari méchant, la porte à clé et les persiennes, mais qu'il serait le soir même dans sa chambre. La blonde rougit, son pot à lait trembla dans sa main et, les yeux mouillés de tendresse, elle soupira faiblement: « Hélas! Monsieur, c'est 15 impossible. »

Le soir de ce jour radieux, vers dix heures, Dutilleul était en faction dans la rue Norvins et surveillait un robuste mur de clôture, derrière lequel se trouvait une petite maison dont il n'apercevait que la girouette et la cheminée. Une porte s'ouvrit 20 dans ce mur et un homme, après l'avoir soigneusement fermée à clé derrière lui, descendit vers l'avenue Junot. Dutilleul attendit de l'avoir vu disparaître, très loin, au tournant de la descente, et compta encore jusqu'à dix. Alors, il s'élança, entra dans le mur au pas de gymnastique et, toujours courant à travers 25 les obstacles, pénétra dans la chambre de la belle recluse. Elle l'accueillit avec ivresse.

Le lendemain matin, Dutilleul eut la contrariété de souffrir de violents maux de tête. La chose était sans importance et il n'allait pas, pour si peu, manquer à son rendez-vous. Néan- 30 moins, ayant par hasard découvert des cachets épars au fond d'un tiroir, il en avala un le matin et un l'après-midi. Le soir, ses douleurs de tête étaient supportables et l'exaltation les lui fit oublier. La jeune femme l'attendait avec toute l'impatience qu'avaient fait naître en elle les souvenirs de la veille. Lorsqu'il 35

113

s'en alla, Dutilleul, en traversant les cloisons et les murs de la maison, eut l'impression d'un frottement inaccoutumé aux hanches et aux épaules. Toutefois, il ne crut pas devoir y prêter attention. Ce ne fut d'ailleurs qu'en pénétrant dans le mur de
5 clôture qu'il éprouva nettement la sensation d'une résistance. Il lui semblait se mouvoir dans une matière encore fluide, mais qui devenait pâteuse et prenait, à chacun de ses efforts, plus de consistance. Ayant réussi à se loger tout entier dans l'épaisseur du mur, il s'aperçut qu'il n'avançait plus et se souvint avec
10 terreur des deux cachets qu'il avait pris dans la journée. Ces cachets, qu'il avait crus d'aspirine, contenaient en réalité de la poudre de pirette tétravalente prescrite par le docteur l'année précédente. L'effet de cette médication s'ajoutant à celui d'un surmenage intensif, se manifestait d'une façon soudaine.
15   Dutilleul était comme figé à l'intérieur de la muraille. Il y est encore à présent, incorporé à la pierre. Les noctambules qui descendent la rue Norvins à l'heure où la rumeur de Paris s'est apaisée, entendent une voix assourdie qui semble venir d'outre-tombe et qu'ils prennent pour la plainte du vent sifflant
20 aux carrefours de la Butte. C'est Garou-Garou Dutilleul qui lamente la fin de sa glorieuse carrière et le regret des amours trop brèves. Certaines nuits d'hiver, il arrive que le peintre Gen Paul, décrochant sa guitare, s'aventure dans la solitude sonore de la rue Norvins pour consoler d'une chanson le pauvre
25 prisonnier, et les notes, envolées de ses doigts engourdis, pénètrent au cœur de la pierre comme des gouttes de clair de lune.

MARCEL AYMÉ
Le passe-muraille
GALLIMARD

114

EXERCICES

E X E R C I C E S

A. *Répondez en français aux questions suivantes:*

1. Comment sont les antilopes en Afrique? 2. Pourquoi les hommes blancs viennent-ils en Afrique? 3. De quoi ont-ils besoin? 4. Qu'est-ce que les hommes noirs aiment mieux faire? 5. Quel travail les hommes noirs font-ils? 6. Comment est-ce qu'on attrape ceux qui se sauvent? 7. Qu'est-ce qui fait la joie des noirs et des blancs? 8. Qu'est-ce que les noirs font pour montrer leur joie? 9. Que font les blancs? 10. Qu'attendent les antilopes en haut, dans la montagne? 11. Quand l'antilope devait-elle rentrer? 12. Qu'est-ce qu'une des antilopes regarde en bas? 13. Que signifie un feu de joie chez les hommes? 14. Pourquoi les antilopes n'ont-elles plus faim? 15. Racontez brièvement toute l'histoire.

B. *Employez les expressions suivantes dans des phrases complètes et traduisez vos phrases en anglais:*

1. être de passage 2. faire des affaires 3. aimer mieux 4. faire mourir 5. en haut 6. d'habitude 7. tout en bas 8. un feu de joie 9. ce n'est plus la peine de 10. avoir faim

C. *Dites si les phrases suivantes sont vraies ou fausses:*

1. En Afrique il existe beaucoup d'antilopes. 2. Les hommes noirs de l'Afrique sont de passage. 3. Les hommes blancs n'ont pas besoin que les noirs les aident. 4. Les blancs attrapent les noirs au lasso quand ceux-ci se sauvent. 5. Quelquefois une balle perdue tue un pauvre homme noir. 6. D'habitude les noirs sont très bien nourris. 7. Les hommes blancs allument un feu de joie. 8. L'antilope avait dit qu'elle serait rentrée pour le dîner. 9. En haut dans la montagne les autres antilopes ne s'intéressent plus à leur camarade en bas. 10. Quand elles se mettent à table personne n'est triste.

116

EXERCICES

D. Traduisez en français:

1. The Whites always come to Africa to do business.
2. The Negroes do not like to build roads but prefer to
dance the whole day.   3. The work often used to kill
them (cause them to die).   4. Sometimes a stray bullet
kills a sleeping antelope.   5. Then everyone goes down the
mountain to the village.   6. There is much joy among the
Whites and the Negroes.   7. One hears the tom-tom, and
the celebration is a complete success.   8. The antelopes up
in the mountains sense that something has happened.
9. One antelope does not return, and there is no use waiting for her.   10. All the others sit down to the table, but
no antelope is hungry.

II. Le dromadaire mécontent

A. Répondez en français aux questions suivantes:

1. Où va le dromadaire en compagnie de ses parents?
2. Pourquoi n'a-t-il pas dormi de la nuit?   3. Pourquoi
n'aimait-il pas la conférence?   4. De quoi a-t-il envie?
5. Qu'y avait-il devant le gros monsieur qui parlait?
6. Que fait le monsieur de temps en temps?   7. De quoi
souffre le jeune dromadaire?   8. Que lui disait alors sa
mère?   9. Quelle est la différence entre le dromadaire et
le chameau?   10. Qui prenaient des notes sur leur calepin?
11. Pourquoi le dromadaire mord-il le conférencier?
12. Que dit celui-ci?   13. Le dromadaire était-il sale?
14. Quelles sont les deux significations du mot *chameau?*
15. Racontez brièvement toute l'histoire.

B. Donnez en français la définition des mots qui suivent:

1. le dromadaire   2. le chameau   3. une conférence
4. un pot à eau   5. un verre à dents   6. une brosse à
dents 7. un fauteuil 8. un calepin 9. une bosse 10. une
estrade

117

C. Mettez la forme convenable du verbe (emploi du temps):

1. *There is* un jeune dromadaire qui n'est pas content.
2. *He said* à ses amis: « *I am going out* demain avec mon père et ma mère. » 3. *He was going to hear* une conférence.
4. *He is very bored* (s'ennuyer beaucoup), parce que le monsieur *does not wash* les dents. 5. Le jeune dromadaire *is suffering* de la chaleur. 6. *Stay* (se tenir) tranquille; *let* parler le monsieur. 7. Toutes les cinq minutes, le conférencier *kept repeating* la même chose. 8. Tous les gens de la salle *would say:* « Oh, oh, très intéressant. » 9. A la fin le jeune dromadaire *got enough* (en avoir assez).
10. « Chameau! » *says* le conférencier, et tout le monde *is shouting:* « Sale chameau! »

D. Traduisez en français:

1. Tomorrow my father and mother and I are going to hear a lecture. 2. He was unable to sleep all night.
3. The young dromedary is very disappointed and feels like crying. 4. The big gentleman has been speaking for more than an hour. 5. He pours out some water but he never washes his teeth. 6. The young dromedary's hump bothers him, and he rubs it against the back of the chair.
7. His mother pinches his hump, but he cannot stay still.
8. Everyone must know the difference between a dromedary and a camel. 9. The former has one hump, and the latter has two. 10. Finally everyone in the room shouts: "Dirty cur (*chameau*)!" But he is a dromedary and clean too.

III. JEUNE LION EN CAGE

A. Répondez en français aux questions suivantes:

1. Qu'est-ce qu'on faisait au lion pendant son sommeil?
2. Pourquoi le lion pensait-il que les hommes étaient méchants et bêtes? 3. Qu'est-ce qui est arrivé à sa famille?

4. Qu'attendait le lion? 5. Qu'est-ce que le lion voit un jour devant sa cage? 6. Pourquoi le contrôleur jette-t-il un petit monsieur dehors? 7. Pourquoi le lion croit-il que les hommes sont devenus plus gentils? 8. Que dit le dompteur en entrant dans la cage? 9. Que fait-il de sa chaise? 10. Pourquoi tire-t-il son revolver? 11. Est-ce par gourmandise que le lion veut dévorer le dompteur? 12. Que font les spectateurs en voyant le lion sauter sur le dompteur? 13. Que dit l'Anglais? 14. Est-ce que tout ce qui arrive est vraiment de sa faute? 15. Quelle est la pensée du lion en voyant que les spectateurs attaquent l'Anglais?

B. *Faites un petit résumé de l'histoire en vous servant des expressions qui suivent:*

un jeune lion en cage — poussière dans les yeux — coups de canne — les hommes méchants — du nouveau — des bancs — des visiteurs — le contrôleur — un petit monsieur sans ticket — la porte s'ouvre — le dompteur — sa chaise — son revolver — le lion saute — l'affolement des spectateurs — l'Anglais — l'avait prédit — de sa faute — sale étranger — coups de parapluie — une mauvaise journée

C. *Trouvez dans le texte des synonymes pour les mots et les expressions qui suivent:*

1. prisonnier 2. réellement 3. parfois 4. bâton
5. faire mourir 6. certainement 7. billet 8. rompre
9. perdre connaissance 10. bruit tumultueux

D. *Traduisez en français:*

1. The more the young lion grows, the larger become the bars of his cage. 2. In fact, his cage is changed while he sleeps. 3. Mean and stupid men throw dust in his eyes. 4. One fine day, something new happens: visitors enter the menagerie. 5. The ticket-collector kicks out a little

119

man who has no ticket. 6. The trainer would like to see the lion jump, but his chair breaks. 7. He shoots his big revolver into the air, and the lion thinks that some madman has come in without knocking. 8. Breaking my furniture or shooting at my guests is not proper. 9. "Ten years ago I had foretold that was to happen," an Englishman said. 10. It was a bad day for the foreigner too, but it wasn't his fault.

IV. LES PREMIERS ÂNES

A. *Répondez en français aux questions suivantes:*

1. Comment étaient les ânes autrefois? 2. Que faisait quelquefois un lion à un âne? 3. Que faisaient alors les autres ânes? 4. Comment les hommes s'appellent-ils entre eux? 5. Pourquoi les ânes galopent-ils à la rencontre des hommes? 6. Qu'est-ce que les ânes pensent des hommes? 7. Que font les ânes pour leur faire une petite réception? 8. Pourquoi est-ce que les hommes n'aiment pas cette plaisanterie? 9. Que font les hommes à tous les ânes? 10. Qu'est-ce que les hommes font au plus tendre des ânes? 11. Pourquoi les hommes ne mangent-ils pas l'âne? 12. Qu'est-ce qu'un homme fait pour montrer son dégoût (*disgust*)? 13. Qu'est-ce que les hommes pensent des ânes? 14. Quelle sera désormais (*henceforth*) la destinée des ânes? 15. Racontez en quelques mots l'histoire des premiers ânes.

B. *Traduisez en anglais idiomatique les expressions qui suivent:*

1. Tout à fait. 2. Ils avaient faim. 3. Ça leur faisait plaisir. 4. Les ânes se sauvaient en criant. 5. Les rois de la création. 6. Ils galopèrent à la rencontre des hommes. 7. Tout de même. 8. Les ânes font les drôles. 9. Histoire de rire. 10. Un tout petit peu. 11. Pour les faire un tout petit peu tomber par terre. 12. Il n'y a pas cinq minutes que les rois de la création sont dans le pays que...

13. Mettre à mort. 14. Ça ne vaut pas le bœuf. 15. En avant!

C. *Mettez la forme convenable du verbe indiqué:*

1. Quand ils (*present of* avoir) soif, ils (*present of* boire). 2. Ils (*present of* courir) quand ça leur (*present of* faire) plaisir. 3. Quelquefois, un lion (*present of* venir). 4. Un lion (*imperfect of* manger) un âne. 5. L'âne (*imperfect of* recommencer) à braire. 6. Il (*imperfect of* falloir) leur faire une petite réception. 7. Ils se roulent dans l'herbe en (*present participle of* faire) les drôles. 8. Les hommes (*present of* jeter) leur couteau par terre. 9. Les ânes (*present of* voir) pleurer l'homme. 10. Nous les (*future of* appeler) des ânes.

D. *Traduisez en français:*

1. Do animals eat only when they are hungry? 2. Sometimes a lion comes and eats a donkey, and the others run away. 3. Who think they are the "lords of creation"? 4. All the donkeys gallop to meet the pale animals, who are men. 5. The donkeys clowned and rolled in the grass just for the fun of it. 6. The donkeys were soon tied up like sausages, because the men did not like joking. 7. The tenderest was cooked to a turn, but the men thought that it was not so good as beef. 8. One man said he preferred mutton, while another wept. 9. The donkeys think that the men will let them go, because they are not good to eat. 10. They can neither read nor count, and so they must carry burdens.

V. Une mauvaise farce

A. *Répondez en français aux questions suivantes:*

1. Que faisait le monsieur très riche pour dissiper son ennui? 2. Où va-t-il un matin? 3. Quels maçons a-t-il

121

avisés? 4. Qu'est-ce qu'il offre aux deux maçons? 5. Quelle sorte de mur faut-il construire? 6. Qu'est-ce que les maçons se procurent? 7. Où le riche monsieur emmène-t-il les maçons? 8. La salle où ils entrent est-elle bien éclairée? 9. Qu'est-ce qu'une fenêtre en ogive? 10. Qu'est-ce qu'il y a dans la cour? 11. Que dit un maçon en voyant la salle? 12. Quel travail faut-il faire? 13. Combien de francs y a-t-il dans un louis? 14. Qu'ont découvert les maçons après avoir muré la porte? 15. Le monsieur riche était-il content de sa farce?

B. *Traduisez en français les mots entre parenthèses:*

1. Un riche monsieur (*is extremely bored*). 2. Ses farces sont toutes (*in the worst taste*). 3. Deux maçons (*look a little stupid*). 4. Voulez-vous gagner vingt francs (*immediately*)? 5. Les maçons ont (*everything needed*). 6. La salle est éclairée par deux (*ogival windows*). 7. Les deux fenêtres (*open on a court*). 8. La cour est couverte de (*weeds*). 9. L'aventure (*dates back quite a while*). 10. Le monsieur riche rit (*heartily*) quand il (*passes by*) cette maçonnerie.

C. *Écrivez une composition libre ou préparez une composition orale sur un des sujets suivants:*

1. Une bonne farce que j'ai faite à un de mes camarades. 2. Les farces sont souvent d'une moralité douteuse. 3. Quand on fait une farce, il y a toujours quelqu'un qui en souffre. 4. Les farces sont le plus souvent des histoires invraisemblables (*improbable*), parce que les personnages sont trop naïfs.

D. *Traduisez en français:*

1. It is a question of a very rich gentleman who indulges in a thousand pranks, because he is bored. 2. One morning he goes to the public square where the masons usually

come to seek work. 3. He perceives two who would like
to earn twenty francs. 4. They have to construct a wall
so that it will be immediately dry and indestructible.
5. The gentleman puts them in a car and takes them far
off to a building which he knows. 6. The old yard of the
house seems to be a well, and one mason says: "It's not
funny here." 7. The job is to wall up a door, but at once.
8. As night falls, they lay the last stone. 9. Wiping their
brows, they have the satisfaction of a good job done.
10. But the door which they have walled up is the only
outlet from the room.

VI. L'ASCENSEUR DU PEUPLE

A. *Répondez en français aux questions suivantes:*

1. Pourquoi les propriétaires des appartements louent-ils
leur sixième étage moins cher que leur premier? 2. Pourquoi est-ce, selon l'auteur, un faux raisonnement qui pousse
les propriétaires à louer leur sixième étage moins cher
que leur premier? 3. Pourquoi l'auteur cite-t-il l'exemple
des entrepreneurs de Chicago? 4. Dans quels immeubles
l'ascenseur est-il rare? 5. La besogne faite, comment les
gens pauvres arrivent-ils chez eux? Et les gens riches?
6. Quelle répulsion l'employé de la compagnie d'assurances avait-il? 7. Décrivez l'appareil qu'il avait organisé
pour éviter de monter quatre-vingts marches. 8. A
quelle heure l'employé arrive-t-il au pied de sa maison?
9. Qu'est-ce qu'il fait pour attirer l'attention de sa femme?
10. Où s'installe-t-il alors? Et sa femme? 11. Est-ce que
le poids de la dame est égal à celui de son mari? 12. Quel
poids faut-il ajouter pour faire monter le monsieur?
13. Qui passe le poids supplémentaire à la dame?
14. Comment la femme regagne-t-elle l'appartement?
15. A quoi doit-elle faire bien attention?

B. Trouvez dans la colonne B un mot pour traduire chaque mot français de la colonne A:

A

1. étage 13
2. entrepreneur 6
3. main-d'œuvre 11
4. chantier 15   *(construction site —)*
5. prix 18
6. bénéfice 16
7. immeuble 2
8. besogne 19
9. moisissure 17
10. marche 20
11. appareil 3
12. puits 4
13. poulie 8
14. corde 9
15. panier 14
16. sifflet 1
17. sol 12
18. poids 5
19. pendule 10
20. escalier 7

B

1. whistle
2. building
3. apparatus
4. well
5. weight
6. contractor
7. stairs
8. pulley
9. rope
10. clock
11. manual labor
12. ground
13. floor
14. basket
15. scaffolding
16. profit
17. moldiness
18. price
19. work, job
20. step

C. Traduisez en français:

1. Why do apartments on the sixth floor (*système français*) cost less than those on the first? 2. Doesn't a sixth floor cost more to build than a first floor? 3. According to Alphonse Allais, how many floors do the apartments in Chicago have? 4. Do many buildings in France have elevators? 5. Is it social justice when the poor people must climb the stairs to their high lodgings and the idle rich reach their sumptuous entresols in elevators? 6. Does the salary of a simple clerk permit him to live on the first floor? 7. When our man arrives at the foot of

his house, what does he do? 8. What additional weight does the eldest boy add to make the wife go down in the basket? 9. What does the latter have to do to get back to the apartment? 10. Does our clerk prize the Empire-style clock more than his wife?

D. *Alphonse Allais emploie beaucoup de moyens pour nous divertir. Trouvez dans « L'ascenseur du peuple » des exemples de comique cités dans la liste qui suit:*

1. exagération 2. antithèse ridicule 3. ironie 4. faux raisonnement 5. ridicule des sentiments pour choquer 6. manque de respect pour les convenances 7. le faux sérieux 8. le comique de mots (l'emploi de la langue populaire)

VII. LE PAUVRE BOUGRE ET LE BON GÉNIE

A. *Répondez en français aux questions suivantes:*

1. Combien d'argent le pauvre Bougre trouve-t-il dans les poches de son gilet? 2. Quelle espérance a-t-il en sortant? 3. De quelle couleur est sa redingote? Son chapeau? 4. Qu'est-ce que c'est qu'un original chromomaniaque? 5. Comment le pauvre Bougre a-t-il passé la journée? 6. Où va le pauvre Bougre sur les six heures? 7. Qu'est-ce qu'il boit? 8. Qui vient s'asseoir à la table voisine? 9. Quelle question le bon Génie fait-il au pauvre Bougre? 10. Quel est le souhait de celui-ci? 11. Comment va-t-il recevoir l'argent? 12. Cent sous font combien de francs? 13. Combien de francs le pauvre Bougre reçoit-il? 14. Cette somme représente combien de jours à vivre? 15. Comment le pauvre Bougre mange-t-il son argent?

B. *Traduisez en anglais les gallicismes qui suivent:*

1. il y avait une fois 2. en fait de 3. peu à peu 4. se faire valoir. 5. n'en pouvoir plus 6. passer pour 7. en bloc 8. à son tour 9. en voir bien d'autres 10. prendre son parti

125

C. Dites si les phrases suivantes sont vraies ou fausses:

1. Une guigne affreuse s'était acharnée sur le pauvre Bougre. 2. Le pauvre Bougre n'avait pas de quoi vivre un jour. 3. Sa redingote était toute neuve. 4. Son chapeau, transformé par le temps, était devenu noir. 5. Le pauvre Bougre a cherché de l'ouvrage toute la journée. 6. Il n'avait pas l'habitude de déjeuner. 7. Un étranger vint s'asseoir à la table du pauvre Bougre. 8. Le pauvre Bougre lui demande assez d'argent pour vivre jusqu'à la fin de son existence. 9. Mais il n'allait pas toucher toute la somme en bloc. 10. Il alla manger un bon dîner avec les 7 francs 50.

D. Traduisez en français:

1. Once upon a time there was a Poor Devil who was having tough luck. 2. His whole capital was only one franc ninety centimes. 3. He left that morning to look for work with the best faith in the world. 4. Towards six o'clock, being exhausted, he went and sat down at a café table. 5. A stranger said to him: "You don't seem happy." 6. "What do you desire in order to be completely happy?" the Good Genie said. 7. The Poor Devil was not very hard to please; therefore, he asked for only five francs a day till the end of his life. 8. And he was going to draw the money in a lump sum. 9. He finishes his mental calculation, and the Poor Devil resigns himself to his fate. 10. At five francs a day, he calculates he has only a day and a half to live.

VIII. UNE BIEN BONNE

A. Répondez en français aux questions suivantes:

1. Pourquoi la famille faisait-elle bonne mine au cousin Rigouillard? 2. Nommez quelques objets dans la collection de Rigouillard. 3. Qu'est-ce que les gens graves lui reprochaient? 4. Quelle blague le narrateur a-t-il faite à

son professeur d'histoire? 5. Comment son cousin a-t-il manifesté son approbation de cette blague? 6. Pourquoi Rigouillard éprouvait-il une aversion pour les archéologues? 7. Pourquoi l'auteur revient-il en grande hâte chez lui? 8. Pourquoi Rigouillard a-t-il choisi son cousin pour exécuter ses dernières volontés? 9. A qui Rigouillard veut-il faire une bonne blague? 10. Où l'auteur doit-il mettre le corps de son cousin quand il sera mort? 11. Quelle sorte de cercueil Rigouillard aura-t-il? 12. Qu'est-ce que son cousin glissera dans le cercueil? 13. A quelle idée Rigouillard riait-il aux larmes? 14. Est-ce que Rigouillard a laissé une grande fortune? 15. Comment l'auteur a-t-il changé les dernières volontés de son cousin?

B. *Traduisez en anglais les phrases qui suivent:*

1. Notre cousin était ce qu'on appelle un drôle de corps. 2. Toute la famille lui faisait bonne mine. 3. Il s'occupait à faire mille plaisanteries à ses voisins. 4. Je connaissais toutes ses histoires à peu près par cœur. 5. Je faisais semblant de réfléchir. 6. La lumière pourtant se fait dans son cerveau, à la longue. 7. As-tu fait des blagues à tes pions aujourd'hui? 8. Je me demandais pourquoi il m'a donné une pièce de cinquante francs toute neuve. 9. Personne ne rit aux larmes quand nous apprîmes que toute sa fortune était en viager. 10. Autant que ça me profite à moi qu'à des archéologues pas encore nés.

C. *Choisissez l'expression qui traduit le mot français:*

1. drôle: 1. robber 2. funny 3. dole 4. part 5. mourning

2. autruche: 1. oyster 2. outsider 3. ostrich 4. Austrian 5. other

3. voisin: 1. vision 2. visitor 3. view 4. neighbor 5. viewer

127

4. blague: 1. ring 2. vague 3. virtue 4. pale
          5. joke

5. raconter: 1. meet 2. tell 3. hear 4. judge
            5. resume

6. entendre: 1. extend 2. wait for 3. hear 4. happen 5. feel

7. borne: 1. born 2. worn 3. one-eyed 4. foreign 5. limit

8. éprouver: 1. experience 2. prove 3. relate 4. scan
            5. help

9. frotter: 1. find 2. rub 3. feel 4. fear 5. flog

10. hâte: 1. hate 2. love 3. harm 4. fear 5. haste

11. verrou: 1. virtue 2. smallpox 3. bolt 4. robber 5. glass

12. volonté: 1. volunteer 2. spear 3. will 4. flight
            5. robbery

13. armure: 1. closet 2. army 3. love 4. lover
           5. armor

14. cercueil: 1. circuit 2. coffin 3. circle 4. search
             5. shirt

15. lendemain: 1. longhand 2. long hair 3. yesterday
              4. tomorrow 5. the next day

D. *Traduisez en français:*

1. My cousin was what's called a wag, but he had accumulated a sizeable fortune. 2. His house was not far from ours, and it was there that he occupied himself at that time in arranging his innumerable collections. 3. He enjoyed himself also by playing jokes on the serious people of our district. 4. One day I played a very good one on our history teacher. 5. My cousin Rigouillard was so delighted with this adventure that he gave me immediately a brand new fifty-centime piece. 6. The archeologists did not think him serious enough, and they rejected his candidacy for the Archeological Society by a huge major-

ity.   7. As I understood him, he entrusted me with the execution of his last will and testament.   8. When he had died, I was to put his body in the big Chinese armor and shut it up with some Greek coins in a stone Gallo-Roman coffin.   9. What a wry face the archeologists would make when in five hundred years they would find a Chinese warrior buried with Greek money in a Gallo-Roman coffin!   10. But my cousin's entire fortune was in an annuity, and I felt no remorse because I did not slip the gold coins into his coffin.

IX. LA CARTE POSTALE

A. Répondez en français aux questions suivantes:

1. Quel âge Nathalie avait-elle quand sa mère a épousé un Allemand?   2. Comment appelait-elle son beau-père?   3. Pourquoi Nathalie était-elle émue de retourner à Moscou?   4. Quels préparatifs le père a-t-il faits pour amuser sa petite fille?   5. Pourquoi est-ce que le jour de sa visite chez son père n'a pas été gai?   6. Pourquoi Nathalie avait-elle honte de son père?   7. Quelle sorte de carte le père a-t-il donnée à Nathalie pour Noël?   8. Pourquoi n'a-t-elle jamais revu son père?   9. Qui ramène Nathalie à l'hôtel?   10. Que fait la mère en voyant la carte?   11. Que dit Heinrich à sa femme?   12. Pourquoi a-t-il admiré la carte?   13. Qu'a-t-il suggéré de faire avec la carte?   14. Qu'est-ce que Nathalie a fait de la carte?   15. Est-ce que Nathalie avait de bonnes raisons pour détester son beau-père?

B. Employez les expressions suivantes dans des phrases complètes et traduisez vos phrases en anglais:

1. finir par   2. devoir revenir (*au passé indéfini*)   3. être déçu   4. promettre de   5. quant à   6. ne faire que   7. de sorte que   8. venir rechercher   9. avoir honte de   10. sans

129

doute   11. faire voir   12. éclater de rire   13. à voix basse
14. avoir raison   15. tous deux

C. *Donnez le nom qui correspond à chacun des verbes qui suivent:*
1. admirer   2. aimer   3. épouser   4. finir   5. nommer
6. appeler   7. passer   8. garder   9. acheter   10. organiser   11. rechercher   12. sentir   13. essayer   14. remercier   15. demander

D. *Traduisez en français:*

1. When Nathalie was only four years old, she left
Moscow unwillingly.   2. Her stepfather, who was a
handsome German, she used to call Heinrich, as her
mother did.   3. After three years in Leipzig she was able
to see her father again and she spent a whole day at his
house.   4. Her father did not want to disappoint her,
but the new toys and the fireworks did not make a perfect
day.   5. Everything that he had prepared failed, and he
even set fire to the house.   6. The German maid pitied
Nathalie, who was ashamed of her own father.   7. It
used to be a custom in Russia to give one's friends deco-
rated cards for Christmas.   8. The card which he had
bought for his little daughter was terrible, but she thanked
him for it.   9. When she showed her card, her mother
burst out laughing.   10. But her stepfather lied to her,
saying it was the prettiest card he had ever seen.

X. LA MAISON

A. *Répondez en français aux questions suivantes:*

1. Comment était la maison dans le rêve de l'auteur?
2. Qu'y avait-il à gauche de la maison?   3. Qu'est-ce qui
fermait l'entrée de l'allée?   4. Pourquoi les fleurs se
fanaient-elles dès que la dame les cueillait?   5. Qu'y
avait-il devant la maison?   6. De quoi la maison était-elle
bâtie?   7. Pourquoi n'a-elle pas pu visiter la maison dans

130

ses rêves? 8. Comment la dame a-t-elle passé ses vacances?
9. Quel moyen de transport avait-elle? 10. Quelles provinces a-t-elle explorées? 11. Dans quelle région de France
a-t-elle enfin trouvé la maison? 12. Qui répond quand la
dame sonne à la porte? 13. Quelle faveur a-t-elle de-
mandée? 14. Pourquoi les propriétaires ont-ils quitté la
maison? 15. Pourquoi le domestique croyait-il aux
revenants?

B. *Préparez des questions sur le texte en vous servant des expressions qui suivent:*

1. faire un rêve   2. apercevoir de loin   3. cueillir des
fleurs   4. être désappointée   5. passer ses vacances   6. pendant tout l'hiver   7. sentir un choc   8. regarder avec attention   9. faire visiter le château   10. rencontrer dans le
parc

C. *Traduisez en français les mots entre parenthèses:*

1. Elle apercevait une maison (*which was surrounded by a
grove of linden trees*). 2. (*To the left of the house*), un pré
rompait la symétrie du décor. 3. Cette allée (*was lined
with trees*). 4. Quand on débouche de cette allée, (*you are
a few steps from the house*). 5. (*When awake*), elle ne pouvait retrouver le souvenir de la maison. 6. (*She had
learned to drive*) une petite voiture. 7. Elle connaissait
parfaitement le paysage (*stretching out to her right*). 8. (*I
was very much afraid*) que personne ne répondît. 9. Le
château (*is for rent*), dit-il. 10. Le vieillard dit que la dame
(*should not laugh*).

D. *Traduisez en français:*

1. Two years ago she used to dream every night that
she was taking a walk in the country. 2. She was at-
tracted by a long, low, white house which she saw from
afar. 3. Under the trees there were many spring flowers,

131

and she wished to gather some. 4. This dream was repeated for long months, and she finally thought she had seen the château in her childhood. 5. While driving in the vicinity of Paris one day last spring, she suddenly felt a shock: she had recognized her dream-castle. 6. Emerging from the grove of linden trees, she left her car, went up the steps, and rang. 7. The sad-faced servant who appeared immediately was surprised to see her. 8. She asked him the favor of inspecting the house, which the owners had left. 9. The lady should not have laughed, since she was the phantom who haunted the grounds of the manor. 10. Do you, like the old servant, believe in ghosts?

XI. Irène

A. *Répondez en français aux questions suivantes:*

1. Pourquoi Irène veut-elle sortir avec Bernard ce soir? 2. Où veut-elle aller avec lui? 3. Qu'est-ce que c'est que Montparnasse? 4. Comment Bernard veut-il passer la soirée? 5. De quoi Irène accuse-t-elle Bernard? 6. Lequel des deux est le plus égoïste, Bernard ou Irène? Pourquoi? 7. Comment Bernard s'explique-t-il son besoin de domination? 8. Quelle image se fait-il d'Irène? 9. Comment gagne-t-elle sa vie? 10. Quelle résolution prend-il en s'endormant? 11. Pourquoi Bernard est-il si heureux quand il se lève le lendemain matin? 12. Qu'entend-il en nouant sa cravate? 13. Irène a-t-elle passé une bonne nuit? 14. Comment a-t-elle changé? 15. A-t-elle bien fait de changer d'avis?

B. *Traduisez en anglais les gallicismes qui suivent:*

1. Cela ne fait rien. 2. Vous avez pris l'habitude de voir les femmes accepter vos désirs comme des lois. 3. Encore une fois, non, mon cher. 4. Il faut apprendre à tenir compte de l'existence des autres. 5. Irène avait raison. 6. Tout de même, ce devait être une délivrance. 7. Il

s'endormit presque tout de suite. 8. Des silences de plus en plus longs. 9. Je ne sais ce que j'avais. 10. Au contraire, c'est moi.

C. *Trouvez dans le texte un antonyme pour les mots qui suivent:*

1. mécontent 2. ignorer (méconnaître) 3. sortir de chez vous 4. désintéressé (généreux) 5. mensonge 6. fermé 7. dur 8. gaieté 9. avoir tort 10. malheur 11. ancien 12. richesse 13. esclavage 14. premier 15. haïr

D. *Traduisez en français:*

1. Irene is no longer thinking of her disappointments. 2. She would like to go to the movies or to a night club. 3. What Bernard likes to do is to dine in a quiet little restaurant. 4. He seems thoroughly surprised when she says in her turn that he is selfish. 5. He is always thinking only of himself, and she does not feel like submitting to his caprices. 6. All night long, Bernard could not sleep, for he knew that Irene was right. 7. Suddenly he makes up his mind to be submissive and to devote himself to Irene's happiness. 8. The next morning, as he was tying his tie, the telephone rang. 9. It was Irene. Begging his pardon, she swore she had changed her mind (*changer de résolution*). 10. Do you think that Irene will be happy with this spoiled child?

XII. Le billet de loterie

A. *Répondez en français aux questions suivantes:*

1. Pourquoi M. et Mme Lerond s'étaient-ils retirés de Paris? 2. Quelle ambition Mme Lerond cachait-elle? 3. Pourquoi voulait-elle prendre le billet de loterie? 4. Quel système employait-elle toujours pour gagner? 5. Quel moyen avait-elle pour recevoir le billet qu'elle

voulait? 6. Quelle réponse M. Lerond reçoit-il du secrétaire de la mairie? 7. Quel choix de numéros M. Lerond
lui offre-t-il? 8. Comment M. Robin connaissait-il le
système de Mme Lerond? 9. Quel numéro a-t-elle pris?
Pourquoi n'a-t-elle pas pris le numéro quarante-huit?
10. Pourquoi ne voulait-elle pas parler de la loterie à son
mari? 11. Quel rêve le mari a-t-il fait juste avant la date
du tirage? 12. Que faisait Mme Lerond le jour du tirage?
13. Quel numéro avait gagné la voiturette? 14. Pourquoi
Mme Lerond était-elle furieuse contre son mari?
15. Était-ce la faute de M. Lerond si elle n'avait pas gagné?

B. *Trouvez dans la colonne B un mot pour traduire chaque mot
français de la colonne A:*

A	B
1. concierge	1. luck
2. goût	2. town hall
3. trou	3. smile
4. marché	4. peony
5. lot	5. sigh
6. veine	6. postman
7. mairie	7. mood
8. courrier	8. shoulder
9. choix	9. janitor
10. sourire	10. wrapper
11. pivoine	11. taste
12. soupir	12. sorrow
13. épaule	13. cushion
14. humeur	14. prize
15. tirage	15. headache
16. migraine	16. choice
17. chagrin	17. hole
18. facteur	18. drawing
19. bande	19. mail
20. coussin	20. market

C. *Complétez les phrases suivantes en vous basant sur le texte:*

1. M. et Mme Lerond s'étaient retirés au village de Saint-Orthaire pour y vivre —— —— ——. 2. La plus stricte économie réglait —— ——. 3. Jugez —— —— ——, quand elle apprit que son ambition pouvait se réaliser. 4. Une loterie fut organisée pour —— —— —— aux pauvres du pays. 5. Parmi —— —— —— figurait une voiturette à deux places. 6. « Aux loteries et à la roulette, j'ai toujours —— —— ——. » 7. M. Lerond rédigea sa lettre —— ——. 8. La réponse parvint —— —— —— ——. 9. Sitôt débarquée —— ——, elle se rendit —— —— ——. 10. Ponter —— —— ——: c'est une idée de jolie femme. 11. Elle sortit de la mairie dans un état d'esprit —— —— ——. 12. Mme Lerond rougit —— —— ——. 13. —— —— ——, ma chère amie. Ton numéro est sorti. 14. « Au moment de choisir le billet, j'ai manqué —— ——. » 15. « J'ai voulu me rajeunir et j'ai pris le numéro 38, —— ——. »

D. *Traduisez en français:*

1. Mr. and Mrs. Lerond's income was modest, but their tastes were simple. 2. Mrs. Lerond's only ambition was to go by automobile to the neighboring town. 3. "We must try our luck," she told her husband. 4. "If we are lucky, we'll win a lovely little two-seated car." 5. At the casino, Mrs. Lerond always took the number corresponding to her age. 6. It was not very complicated to lay hands on the exact number. 7. Mr. Lerond drafted a letter then and there and received an answer by return mail. 8. When she would be in possession of the car, Mrs. Lerond knew what advantage she could get from it. 9. However, she did not dare to bet on her age, for the secretary would then know how old she was. 10. Wanting to make herself younger, she took number 38 like a fool.

135

XIII. L'ARRESTATION

A. Répondez en français aux questions suivantes:

1. Que font le brigadier Rabot et le gendarme Drouet
lorsque Mme Roux entre? 2. A qui Mme Roux a-t-elle
loué sa maison? 3. Qu'est-ce que c'est qu'un « horzain »?
4. Quelles habitudes les deux « horzains » avaient-ils prises?
5. Que se passait-il depuis trois jours? 6. Comment
Mme Roux explique-t-elle l'absence de Mme Fire?
7. Quelles armes les deux gendarmes prennent-ils? 8. Que
s'écrie le brigadier Rabot devant la porte des « horzains »?
9. Qui est-ce que le gendarme Drouet va chercher?
10. Que fait M. Fire quand les deux représentants de la loi
entrent? 11. Quelle réponse M. Fire fait-il aux questions
du brigadier? 12. Comment le brigadier traduit-il la
réponse? 13. Qu'est-ce que les badauds crient? 14. Quelle
personne sort de la foule? 15. Quelle est l'explication du
mutisme (*speechlessness*) de M. Fire?

B. Traduisez en anglais idiomatique les phrases qui suivent:

1. Mme Roux possédait du bien au soleil. 2. Qu'est-ce
qu'il y a pour votre service? 3. La maison en question se
trouve en face de celle que j'habite. 4. Ça vous prouve
que je puis avoir l'œil. 5. Ils s'appellent d'un drôle de
nom. 6. J'avais beau espionner, bernique! 7. Elle était
heureuse de leur servir de guide. 8. Ça sent le crime à
plein nez. 9. Il vous traite de nigauds. 10. Il est sourd
comme un pot.

C. Dites si les phrases suivantes sont vraies ou fausses:

1. Mme Roux frisait la cinquantaine. 2. C'est M. Fire
qui s'est occupé de la location de la maison. 3. Le brigadier ne voyait rien de suspect dans les actions des « horzains ». 4. Mme Roux n'apercevait personne derrière les
rideaux. 5. M. Fire avait certainement zigouillé sa femme.
6. Le brigadier sonne trois fois à la porte. 7. Le gendarme

Drouet ne peut pas trouver le serrurier. 8. On visite toutes les pièces de la maison. 9. M. Fire ne répond pas au brigadier parce qu'il ne sait pas parler français. 10. Mme Fire était en voyage depuis quelques jours.

D. *Traduisez en français:*

1. Mrs. Roux was a person of independent means, who was favorably known in the region. 2. Strange things were happening in the house which was opposite Mrs. Roux's. 3. Mrs. Fire was a little brunette, and her husband was a tall, lean man with an evil face. 4. The little lady used to look after the household affairs and did nothing suspicious. 5. It was useless for Mrs. Roux to look at the open window, she never saw a shadow. 6. Mrs. Roux was only too glad to serve as a guide for the two policemen, who were armed with swords and revolvers. 7. Inspecting three rooms of the house, they found a tall individual quietly reading his newspaper. 8. The "furiner" did not say what he had done with his wife, so policeman Drouet put the handcuffs on him. 9. Meanwhile a crowd of idlers was calling him "murderer" and shouting, "Kill him!" 10. It was quite simple: the poor man was English and deaf as a post.

XIV. Arithmétique

A. *Répondez en français aux questions suivantes:*

1. Quelle décision le mari de Lydia a-t-il prise? 2. Comment s'appelle Lydia maintenant? 3. Pourquoi le mari ne sait-il plus s'il aime sa femme? 4. De combien d'ans Lydia s'est-elle rajeunie? 5. Quel âge a-t-elle en réalité? 6. De quelle couleur sont ses cheveux actuellement? 7. Combien de fois son nez a-t-il été retaillé? 8. Qu'est devenue sa mère? Que sont devenues ses deux sœurs cadettes? 9. Qu'est-ce qu'elle a fait de son fils? 10. Pourquoi sa famille s'est-elle pliée à ses caprices? 11. Pourquoi

Lydia a-t-elle cessé de voir ses amis d'autrefois? 12. Quel changement a-t-elle fait dans ses papiers d'identité? 13. Comment Lydia a-t-elle présenté son mari un soir? 14. Comment est-ce qu'elle traite son mari depuis ce jour-là? 15. Qu'est-ce que le mari attend dans dix ans?

B. *Employez les expressions suivantes dans des phrases complètes et traduisez vos phrases en anglais:*

1. tout à fait 2. à tout prix 3. en être là 4. vouloir dire 5. jusqu'à ce que 6. faire de la peine 7. avoir lieu 8. mettre hors de 9. se plaindre de 10. avoir de la chance

C. *Donnez en français la définition des expressions qui suivent:*

1. des propos sibyllins 2. se rajeunir 3. un avatar 4. une sœur cadette 5. être dupe 6. le passeport 7. un mensonge 8. un quinquagénaire 9. le veau marengo 10. camomille

D. *Traduisez en français:*

1. Lydia has been married for twenty years. 2. Lydia's husband is out of patience, because she insists upon his calling her Caroline. 3. His friend is worried, for she cannot understand his mysterious words. 4. Lydia has taken it into her head to cut off twenty years from her age, with the result that her mother now seems to be her grandmother. 5. Since her son has become her brother, he has not dared to invite any comrades to the house. 6. Lydia was so nice that it was necessary to submit to her caprices in order not to pain her. 7. While having their passports renewed, the husband finds out that his marriage goes back only eighteen months. 8. Why does a fifty-year oldster complain if he is lucky enough to have a wife of twenty? 9. She finally introduced her husband as her father, and the poor man was nearly suffocated. 10. He has only to wait ten years and she will have transformed herself into a granddaughter.

138

XV. Photographies

A. Répondez en français aux questions suivantes:

1. Quelle émotion Violette ressent-elle en revenant de l'enterrement de sa belle-mère? 2. Quel est l'unique souci de Violette à présent? 3. Pourquoi la mère de Georges est-elle restée dans la maison du nouveau ménage? 4. Quelles habitudes de sa belle-mère déplaisent à Violette? 5. Que faisait Georges pendant que sa femme devait écouter les vieilles histoires de famille? 6. Quelle est l'histoire tragique de la tante Adèle? 7. Où était Georges en juin dix-neuf cent quarante? 8. Pourquoi la belle-mère s'est-elle fâchée contre Violette quand elles ont reçu le télégramme de Georges? 9. Quel est le premier change- ment fait par Violette après la mort de sa belle-mère? 10. Quel portrait prend la place de celui de la tante Adèle? 11. Quels autres changements Violette a-t-elle voulu faire dans la maison? 12. Pourquoi la cuisinière ne veut-elle pas faire le riz à l'impératrice? 13. Pourquoi Violette reste-t-elle aussi peu que possible dans sa chambre? 14. Qu'a-t-elle fait finalement du portrait de sa belle-mère? 15. Ce jour-là qu'est-ce que Georges apporte à la maison?

B. Un « faux ami » est un mot français qui ressemble par la forme à un mot anglais mais qui a un sens différent. Donnez la traduction exacte de ces « faux amis » tirés de « Photographies »:

1. unique   2. chagrin   3. demander   4. sensible
5. discussion 6. éducation 7. parents 8. sort 9. rester
10. pièce

C. Choisissez l'expression qui traduit le mot français:

1. écharpe: 1. sharp 2. harp 3. escape 4. scarf
               5. lint
2. événement: 1. coronation 2. windily 3. eviction
               4. fan 5. event

3. volet:	1. shutter 2. theft 3. volatile 4. flight 5. will
4. fiançailles:	1. finances 2. brides 3. foliage 4. engagement 5. conclusions
5. poignée:	1. fist 2. wrist 3. handle 4. poignant 5. dagger
6. cauchemar:	1. cashmere 2. concealment 3. nightmare 4. cashier 5. whooping cough
7. rideau:	1. rider 2. curtain 3. raft 4. brook 5. laughter
8. dépêche:	1. carving 2. peach tree 3. telegram 4. fish 5. expense
9. soulagement:	1. sinking 2. relief 3. drunkenness 4. safety 5. underlining
10. souffle:	1. suffering 2. suspicion 3. soil 4. slap 5. breath
11. argenterie:	1. money 2. banking 3. slate 4. gold 5. silverware
12. bergère:	1. shepherd 2. burgher 3. burglar 4. easy chair 5. sheepfold
13. tache:	1. task 2. tax 3. spot 4. touch 5. endeavor
14. coin:	1. coin 2. corner 3. coyness 4. edge 5. quince
15. cracher:	1. crack 2. crouch 3. crash 4. hide 5. spit

D. *Traduisez en français:*

1. Violette returned from her mother-in-law's funeral almost dancing with joy. 2. George did not realize during his mother's lifetime to what degree Violette detested her. 3. The evil mother-in-law took advantage of every occasion to warn her daughter-in-law of the role she had been assigned. 4. All the same, when the little knock was heard

140

at her bedroom door, the young wife never had the time
to say, "Come in." 5. Nervous and sensitive, she could
not endure an argument or oppose old people, whom she
had been taught always to respect. 6. If she was not au-
thorized to open a telegram from her husband, at least she
could remove from her bedroom the hard face of Aunt
Adela. 7. But the portrait of her mother-in-law, which
George slipped into the place of the aunt's, was even more
detested. 8. Though mistress of the house, Violette could
not use the silverware or change the place of an easy chair.
9. Violette told George that she had given the portrait of
his mother to the cook, but she had really thrown it into
the fire. 10. She could not ward off her fate, for the
burned portrait gave way to an enlargement in colors of
her mother-in-law's photograph.

XVI. Le cadeau de mariage

A. *Répondez en français aux questions suivantes:*

1. Que cherche Mme Martin-Leduc depuis huit jours?
2. Dans combien de jours aura lieu le mariage? 3. Pourquoi les Martin-Leduc ont-ils attendu si longtemps avant
d'envoyer un cadeau? 4. Qui va épouser Mlle La Madière?
5. Pourquoi faut-il que les Martin-Leduc fassent un cadeau
convenable à Irène? 6. De quoi ont-ils besoin pour faire
un paquet propre? 7. Pourquoi Mme Martin-Leduc ne
veut-elle pas donner le seau à champagne comme cadeau?
8. Quels autres objets Mme Martin-Leduc a-t-elle proposés
comme cadeau de mariage? 9. Qu'est-ce que les Martin-
Leduc ont à la fin décidé de donner à Irène? 10. Qu'ont-ils
écrit sur leur carte de visite? 11. Comment Irène a-t-elle
remercié les Martin-Leduc? 12. Quels autres remerciements ont-ils reçus? 13. Où la cérémonie a-t-elle eu lieu?
14. Quel objet avait la place d'honneur parmi les cadeaux
de mariage? 15. Comment les Martin-Leduc ont-ils
appris la valeur de la bonbonnière?

B. Mettez la forme convenable du verbe et expliquez l'emploi du subjonctif:

1. Il n'est pas sûr que le mariage ne (être) pas rompu.
2. Il faut qu'ils leur (faire) un cadeau convenable. 3. Il a peur qu'on ne se (servir) plus guère de bougies. 4. Il vaut mieux que nous ne la (nettoyer) pas trop. 5. Je suis content que la bonbonnière leur (avoir) fait plaisir. 6. C'est la plus belle miniature qu'on (pouvoir) trouver. 7. Dis-lui de remercier Mme Martin-Leduc avant qu'elle (partir). 8. Elle préfère que nous (voir) les cadeaux exposés dans le salon. 9. Mme Martin-Leduc attend que la jeune épouse (revenir) de la sacristie. 10. Il ne veut pas que nous nous (moquer) de lui.

C. Faites un petit résumé de l'histoire en vous servant des expressions suivantes:

mariage dans trois jours — parcourir tous les magasins — capable de divorcer — épouser un marchand de vins — un gros client de la banque — objets qu'on pourrait donner — faire porter par le fils du concierge — un seau à champagne — une bonbonnière en écaille avec une miniature — un écrin de cuir rouge — astiquer l'écrin — nettoyer la bonbonnière — envoyer avec une carte de visite — les remerciements d'Irène et des parents — se moquer d'eux — la cérémonie — à la sacristie — le lunch — la masse des cadeaux — la bonbonnière en place d'honneur — les remarques du frère de M. La Madière — la réaction de Mme Martin-Leduc

D. Traduisez en français:

1. Do you remember, Leon, that the marriage will take place in three days? 2. They have just given her a beautiful wedding present, though Irene's fiancé is only a wine dealer. 3. That is not the question: he is a very fine

142

match, and his fiancée's father is a big customer of the bank.
4. The smallest tea set exceeds by far what we wish to give
at this time. 5. We must find a package which will look
decent and have the janitor's son deliver it. 6. He is afraid
that the candles will not please the young people of nowadays. 7. It is a pity, because that would look well and it is
made of silver into the bargain. 8. It is better for it not to
look brand-new, because they will make fun of us. 9. You
must be right if they put the candy box in the middle of
the wedding presents. 10. Mrs. Martin-Leduc is thunderstruck when she learns that only two or three of those
pieces are known (to exist) in the world.

XVII. LA RENTE VIAGÈRE

A. Répondez en français aux questions suivantes:

1. Décrivez l'agent d'assurances qui venait voir le père
Alcor. 2. Qu'est-ce que le père Alcor tenait à la main?
3. Où M. Maresquet s'est-il assis? 4. Selon Maresquet,
qu'est-ce que le père Alcor pourrait boire tous les jours?
5. Quel âge le père Alcor a-t-il? 6. Combien d'argent
avait-il amassé? 7. Combien de francs cela donne-t-il en
viager? 8. A qui ira son argent après sa mort? 9. Pourquoi ne voulait-il pas laisser son argent à l'hospice de la
ville voisine? 10. Qu'est-ce que Maresquet portait six
mois plus tard au père Alcor? 11. Combien de francs
Maresquet a-t-il mis sur la table? 12. Pourquoi le père
Alcor n'avait-il pas besoin de cet argent? 13. En vieil-
lissant, qu'avait-il supprimé de son régime? 14. A quel
âge le père Alcor est-il mort? 15. Pourquoi l'a-t-on porté
à la tombe dans le corbillard des pauvres?

B. Donnez le verbe qui correspond à chacun des noms qui suivent:

1. l'assurance 2. le sourire 3. la place 4. la sueur
5. l'héritier 6. la question 7. la demande 8. le compte

143

9. la visite   10. la considération   11. l'instituteur   12. le vieillard   13. la valeur   14. le respect   15. le conseil   16. la demeure   17. la mise   18. le fonds   19. la force   20. l'ami

C. *Traduisez en français les mots entre parenthèses:*

1. L'agent d'assurances portait (*a colored-check sweater*). 2. Veuillez (*give me a little room*) sur le banc.   3. Maresquet ne se démonta pas, parce qu'il (*had been through worse than that*).   4. Il avait amassé cent dix-huit mille francs en (*putting aside some money*) au cours de soixante-quatre ans. 5. Barlatan était (*his inveterate enemy and a pauper*). 6. Maresquet (*is anxious to bring*) lui-même l'argent au père Alcor.   7. (*He realizes*) qu'il touchera treize mille francs l'an prochain.   8. M. le curé (*visits him*) avant Pâques.   9. Maresquet lui avait donné (*a little radio*). 10. A présent, (*marriageable girls*) viennent lui demander conseil.

D. *Traduisez en français:*

1. "Good morning," the insurance agent said, as he pushed the yard gate to.   2. Young Maresquet does not get upset when old man Alcor doesn't offer him any brandy.   3. If you were to ask the old man how much cash he possessed, he would answer: "It all depends." 4. At his age, an annuity yields more money than securities (do).   5. If he doesn't pay-in the money again to the principal, he will receive only about 11,000 francs a year. 6. The old man did not want to leave his money to his enemy, a good-for-nothing, according to gossip.   7. The Parisians couldn't get over it when they saw that he drank only water and had eliminated meat from his diet.   8. Old Alcor lived to the age of ninety-five, and the wholesomeness of his diet had something to do with it.   9. Though he is the richest man in the district, a pauper's hearse will

144

take him to his grave. 10. Perhaps Mr. Maresquet, through seeing him so much, became his friend.

XVIII. ACCIDENT

A. Répondez en français aux questions suivantes:

1. A quelle heure Anselme se lève-t-il d'ordinaire?
2. Pourquoi ne s'est-il pas levé ce matin de novembre?
3. Qui est-ce que Thérèse a appelé pour l'aider? 4. Qui s'est mis à soigner les vaches et les chèvres? 5. Comment se fait-il que le médecin arrive souvent trop tard dans le village? 6. Quels mouvements le médecin a-t-il dit à Anselme de faire? 7. Selon le médecin, qu'est-ce qu'Anselme a eu? 8. Qu'est-ce que Thérèse a fait pour le tenir au chaud? 9. Comment Anselme est-il changé le lendemain matin? 10. Pourquoi voulait-il voir le carnet du lait? 11. Qu'est-ce qu'il voit de son fauteuil devant la fenêtre? 12. Pourquoi Anselme ne réussit-il pas à se raser? 13. Qu'est-ce qu'il allait chercher dans la cuisine? 14. Que faisait sa femme en pareille occasion? 15. Quelle était la preuve qu'il allait mieux? 16. Quand le médecin revient, quel conseil donne-t-il? 17. Quelle sorte de travail Anselme entreprend-il une fois capable de sortir? 18. Qui a appelé Anselme pendant qu'il était en train de tailler un pêcher? 19. Quelles galanteries a-t-il dites à la femme? 20. Comment Anselme est-il mort?

B. Traduisez en anglais les gallicismes qui suivent:

1. D'ordinaire. 2. On était en novembre. 3. Qu'est-ce qu'il a? 4. C'est à la main qu'il a mal. 5. Il s'est mis tout de suite à soigner le bétail. 6. On saura à quoi s'en tenir. 7. Par bonheur, il n'allait pas trop mal. 8. Il haussa les épaules. 9. Tu vas me tirer d'affaire. 10. Il ne sait pas s'y prendre. 11. Fais attention à ce gamin. 12. Il se passe de temps en temps la main sur la joue. 13. Il était parti à l'aventure. 14. Il faisait le tour de la chambre. 15. D'une

part . . . d'autre part. 16. Elle voulait faire venir le curé.
17. Je me tiens debout. 18. Il se met en colère. 19. Je
peux me passer de toi. 20. J'ai tenu le coup. 21. Un enfant sage. 22. La porte donne sur le derrière de la maison.
23. De l'autre côté du ruisseau. 24. Tu me manquais.
25. Il était étendu tout de son long.

C. *Donnez les mots anglais* (cognates) *qui ressemblent par la forme
et par le sens aux mots français qui suivent:*

1. silencieux 2. chambre 3. communiquer 4. répondre 5. montagne 6. construire 7. comprendre
8. vainement 9. estomac 10. coûter 11. énorme
12. vin 13. hanche 14. espèce 15. dépêcher 16. portefeuille 17. compter 18. colonne 19. bouger 20. gesticuler 21. pousser 22. parfaitement 23. aventure
24. bouteille 25. maigre

D. *Traduisez en français:*

1. Catherine got up when all was dark, struck a match
and saw that it was five-thirty. 2. Anselme had not
awakened when she shook him, and soon she lost her head.
3. She ran outside and hurried to find her sister, whose
house was in the middle of the slope. 4. She did not send
for the doctor, as doctors are much too expensive in the
poor mountain villages. 5. The doctor said it was an
apoplectic stroke, and it was necessary to keep him warm.
6. He wants his wife to watch Firmin, who, he thinks, in
the course of time, will rob them. 7. He finally walked
around the room, but he was not yet able to do without
his wife. 8. He wants to smoke his pipe and take a drink
or two, but Catherine prevents him. 9. He had pulled
through, in fact, and was able to go to the garden to thin
out the weeds. 10. He thought that he was not so ill,
but he fell dead, stretched out full length on the broken
fence.

XIX. Le dernier

A. Répondez en français aux questions suivantes:

1. Pourquoi les gens riaient-ils de Martin? 2. Pourquoi croyait-on souvent qu'il allait arriver au milieu du peloton? 3. Comment se fait-il qu'il garde toujours l'espoir de faire mieux? 4. Que faisait Martin quand les autres se moquaient de lui? 5. Quand Martin voyait-il sa femme et ses enfants? 6. Quelle prière faisait-il tous les soirs avant de s'endormir? 7. Pourquoi ne se plaignait-il pas de sa bécane? 8. Quel bruit courut une fois dans les milieux cyclistes? 9. Quelle opinion exprime-t-il sur Faust en parlant aux journalistes? 10. Pourquoi les journaux le traitent-ils de fanfaron après la course Paris-Marseille? 11. Qui s'approche de lui un jour qu'il s'arrête sur la route Paris-Orléans? 12. Comment s'excuse-t-il de son absence à sa femme? 13. Que fait-il pour apaiser les cris de l'enfant de sa femme? 14. Qu'est-ce qui montre que Martin vieillit? 15. Que dit-il toujours lorsqu'il arrive trop tard? 16. Quand il ne voit presque plus, comment Martin reconnaît-il la route? 17. Qu'est-ce qui montre l'âge de sa bicyclette? 18. Qu'est-ce que les gamins crient en le voyant? 19. Quand arrive-t-il un jour pour le départ du Tour de France? 20. Quelles sont ses dernières paroles en trouvant la mort?

B. Complétez les phrases suivantes en vous basant sur le texte:

1. Le maillot de Martin était d'un —— —— ——. 2. Cette fois il va arriver —— —— du peloton. 3. On ne l'entendait jamais —— —— que le sort lui eût été injuste. 4. Il voyait sa femme et ses enfants —— —— —— ——, dans un éclair. 5. En songeant au bouquet qu'une petite fille allait lui offrir, il —— —— plaisir. 6. « Vous me demandez qui est-ce qui sera le premier à Marseille: c'est moi qui —— —— ——. » 7. Ses tempes commençaient

à blanchir, et il était le doyen des —— ——. 8. Martin se
—— —— gonfler son boyau sans mot dire. 9. Depuis
longtemps, il montait les côtes —— ——. 10. Une fois
il quitta Narbonne pour —— —— à Paris.

C. *Trouvez dans la colonne B un mot pour traduire chaque mot
français de la colonne A:*

A	B
1. coureur	1. race
2. guidon	2. make
3. peloton	3. rumor
4. foule	4. pride
5. étape	5. end
6. course	6. braggart
7. bécane	7. profession
8. marque	8. saddle
9. bruit	9. road
10. orgueil	10. spoke
11. bout	11. handle bar
12. fanfaron	12. bike
13. boyau	13. rim
14. jante	14. wheel
15. métier	15. rust
16. selle	16. racer
17. roue	17. tire
18. rayon	18. squad
19. rouille	19. stage
20. chaussée	20. crowd

D. *Traduisez en français:*

1. Many people used to laugh at a bicycle racer whose
name was Martin, because he always arrived last. 2. Although he was annoyed, no one ever heard him complain
of his fate. 3. After each race, he used to say to everyone:
"It'll go better the next time." 4. He often thought of

the money he would send to his wife if he ever won a race.
5. Of course, there had to be a last man, but he was astonished that it was always he. 6. Once the evening papers published Martin's picture, but the next morning he kept his usual place up to the end. 7. He did not recognize his own wife when she approached him once on the Paris-Orléans road. 8. His wife began to cry, for of course she did not understand that in the racing profession one is not his own master. 9. He traversed the whole of France and from time to time he would wink as he said to the stones marking the kilometers: "I'm training." 10. Even as he was dying, he murmured his words of hope: "I'll catch up."

XX. Le passe-muraille

A. Répondez en français aux questions suivantes:

1. Quel don singulier Dutilleul possédait-il? 2. Où travaillait Dutilleul? 3. Comment a-t-il eu la révélation de son pouvoir? 4. Selon le médecin, quelle était la cause de ce mal? 5. Qu'est-ce que le médecin a prescrit pour la maladie? 6. Pourquoi Dutilleul ne plaisait-il pas au nouveau sous-chef Lécuyer? 7. Où le sous-chef a-t-il relégué Dutilleul? 8. Qu'est-ce que Dutilleul a fait pour se venger du sous-chef? 9. Où a-t-on dû emmener Lécuyer après une semaine de torture? 10. Où a eu lieu le premier cambriolage de Dutilleul? 11. De quel pseudonyme a-t-il signé son larcin? 12. Quelle confidence Dutilleul a-t-il faite à ses collègues? 13. Pourquoi s'est-il fait arrêter quelques jours plus tard? 14. Dans quelle prison a-t-on mis Dutilleul? 15. Quel vol a-t-il commis le lendemain de son incarcération? 16. Quelle lettre le directeur de la Santé a-t-il trouvée sur la table? 17. Après cette évasion, où l'a-t-on arrêté? 18. Rentré à la Santé, où passe-t-il la nuit? 19. Pourquoi a-t-il téléphoné au directeur d'un

restaurant voisin de la prison? 20. Pourquoi s'est-il évadé pour ne plus revenir? 21. Comment se déguise-t-il ensuite? 22. Qui a pénétré son déguisement? 23. Pourquoi veut-il faire un voyage en Égypte? 24. Qu'est-ce qui l'a fait complètement oublier ce projet de voyage? 25. Quel obstacle y avait-il entre lui et son amour? 26. Où a-t-il suivi la jeune femme? 27. Pour arriver chez elle qu'est-ce qu'il faut faire? 28. Quelles douleurs sent-il le lendemain matin? 29. Qu'est-ce qui lui fait perdre son pouvoir de passer à travers les murs? 30. Où Dutilleul est-il logé maintenant?

B. *Traduisez en anglais idiomatique les expressions qui suivent:*

1. à raison de   2. voir de très mauvais œil   3. au cours de   4. à vue d'œil   5. passer à travers   6. se rendre compte   7. être sur les dents   8. mettre le comble à   9. tout à l'heure   10. mettre au pain sec   11. se trouver en panne   12. avoir la bonté de   13. tenir à   14. à côté de   15. prêter attention à

C. *Écrivez une composition de 100 à 200 mots sur un des sujets qui suivent:*

1. Les difficultés d'un petit fonctionnaire en France. 2. La vengeance de Dutilleul.   3. Le rôle du peintre Gen Paul.   4. Dutilleul est-il un personnage sympathique? 5. Le comique de Marcel Aymé (voir Exercice VI, D). 6. Les moyens que Marcel Aymé emploie pour donner un peu de vraisemblance (*plausibility*) à un récit essentiellement impossible.

D. *Traduisez en français:*

1. Dutilleul is a government worker who has the strange faculty of passing through walls without being disturbed by it.   2. A doctor in Montmartre is convinced that Dutilleul is telling the truth, and he prescribes two capsules a year of a very strange medicine.   3. The new assist-

ant head clerk does not view favorably that Dutilleul uses a pince-nez and has a goatee. 4. When Lécuyer sees a living head stuck to the wall and speaking to him in a sepulchral voice, he soon has to be taken away to an insane asylum. 5. Reading the news-in-brief column, Dutilleul realizes that burglary offers a splendid outlet for people with his singular gift. 6. Although he is now a burglar, he has the sympathy of the public; and his comrades call him a superman. 7. He signs his nickname in order that nobody will fail to recognize his ingenious burglaries. 8. Besides, he wants to have at least one try at imprisonment before he takes a trip to Egypt. 9. Once he telephoned the director of the prison from a restaurant where he was stuck to ask him to be kind enough to pay his bill. 10. But when he swallowed a capsule without paying any attention to what he was doing, he lost his strange power and remained completely fixed in the thickness of a wall.

VOCABULAIRE

ABBREVIATIONS

abbr.	abbreviation
adj.	adjective
adv.	adverb
colloq.	colloquial
conj.	conjunction
dem.	demonstrative
dial.	dialectical
exclam.	exclamation
f.	feminine
Ger.	German
impers.	impersonal
inf.	infinitive
int.	interjection
interr.	interrogation
invar.	invariable
Lat.	Latin
m.	masculine
neut.	neuter
pl.	plural
pop.	popular
pp.	past participle
prep.	preposition
pres. part.	present participle
pro.	pronoun
prop. n.	proper name
rel.	relative
s.	substantive
subj.	subjunctive
vulg.	vulgar

VOCABULAIRE

A

abaisser to lower

abattement *m.* despondency; *pl.* fits of despondency

abondant, –e abundant

abord: d'abord at first, first

abreuvoir *m.* drinking trough; **rue de l'—,** *street in Montmartre*

abriter to shelter; **s'—,** to take shelter

abrutir to brutalize, dull, stupefy

absinthe *f.* absinthe (*a liqueur*)

absolument absolutely

absorber to absorb, swallow

abuser to abuse, misuse; **— de** to abuse, take advantage of

académique academic

accéder to have access, reach

accentuer to stress, emphasize, accentuate

accepter to accept

accès *m.* access, fit

accommoder: s'— à to adapt oneself to, be adapted to

accompagner to accompany

accompli, –e accomplished

accomplir to accomplish, complete; **s'—,** to fulfill oneself

accourir to hasten (up), come running

accoutumer to accustom; **s'—,** to get accustomed

accrocher to hook, hang (up)

accueillir to receive, greet, welcome

acharner: s'— sur to hound, pursue

acheter to buy

achever to end, finish, complete

acquérir to acquire, obtain, get

acquis, –e *pp.* acquired

acquitter (s') to acquit oneself

activer to quicken; **s'—,** to hurry

activité *f.* activity

actuellement at the present time, (just) now

addition *f.* addition, bill, check

Adèle Adela, Adele

adieu *m.* good-bye, farewell

admettre to admit, permit

administration *f.* administration; **la toute petite —,** lesser government employees

admirer to admire

adorer to adore, worship

adossé: — à with one's back against

adoucir to soften, alleviate

adresser to address

aérer to ventilate, air

affaire *f.* business, affair, matter; **faire des —s** to do business

affaler (s') to drop, flop (*colloq.*)

affecter to affect

affectueux, –euse affectionate

affirmer to affirm

affluer to flow, abound, be plentiful

affolement *m.* panic

affreusement terribly

affreux, –euse frightful, terrible

afin de (in order) to

Afrique *f.* Africa

âge *m.* age

âgé, –e old, aged

agent *m.* agent; **— d'assurances** insurance agent

aggraver to aggravate (*disease*), increase, worsen

agir to act; **s'— de** (*impers.*) to concern, be a matter of, be a question of

agiter to agitate, shake; **s'—,** to be in movement, move, toss about, be agitated

agonie *f.* (death) agony

agrandissement *m.* enlargement

agréable agreeable, pleasant

agréablement pleasantly

agréer to accept

ah! (*int.*) ah! oh!

ahuri, –e bewildered

aide *f.* help, aid, relief; **à l'— de** with the help of; **venir en — à** to come to the assistance of

aider to help, aid

aigu, aiguë sharp, acute, shrill

aiguiser to sharpen, whet; **pierre à —,** whetstone

aile *f.* wing

ailleurs elsewhere; **d'—,** besides, moreover

aimable amiable, kind

aimer to like, be fond of, love; **— bien** to be fond of; **— mieux** to prefer

aîné, –e elder, eldest

ainsi thus, so; **— que** (just) as, as also

air *m.* air, appearance, look, manner, way; **au grand —,** in the open air; **avoir l'— (de)** to look, seem

aisance *f.* ease

aisément easily

ajouter to add; **s'—,** to add

ajuster to adjust; **s'—,** to fit

alambic *m.* alembic, still; **à l'— de tout le monde** in nature's still (*i.e. in the sun*)

alarmer to frighten, alarm

alcôve *f.* alcove, (bed) recess

alerté, –e alerted

aligner to align; **s'—,** to be in line

allécher to tempt, allure

allée *f.* walk, path

allemand, –e German

aller to go, go on, be going (well), suit; **ça va** all right; **ça ira** we'll manage; **comment est-ce que ça va? (ça va?)** how are you? **il n'allait pas trop mal** he was not so ill; **la main ne va pas** the hand is ailing; **allons!** (*int.*) come! **s'en —,** to go away, depart

allo hello

allonger to stretch out; **s'—,** to grow longer

allumer to light, light up

allumette *f.* match

allusion *f.* allusion; **faisant — à** referring to

alors then, at the time; therefore, so; **— que** when, whereas

amabilité *f.* amiability, kindness

amasser to amass, gather together, accumulate

amateur *m.,* **amatrice** *f.* amateur, connoisseur

âme *f.* soul, heart

amélioration *f.* amelioration, improvement

amèrement bitterly

américain, –e American

ami *m.,* **amie** *f.* friend; **mon ami** my dear; **ma chère amie** my dear

Amiens *city in Picardy 83 miles north of Paris*

amitié *f.* friendship, affection

amour *m.* love, affection

amoureux, –euse loving; **devenir — de** to fall in love with

amusant, –e amusing, funny

amuser to amuse, entertain; s'—, to enjoy oneself, amuse oneself

an *m.* year; par —, per year

ancien, ancienne ancient, old, former; en —, in old style

ancre *f.* anchor; jeter l'—, to anchor

âne *m.* ass, donkey

anémone *f.* anemone

ange *m.* angel

anglais, –e English; *m.* Englishman

angle *m.* angle, corner

animal, –aux *adj. and s. m.* animal

animer to animate; s'—, to come to life

année *f.* year

annoncer to announce, advertise

Anselme Anselm

antérieur, –e anterior, earlier

antichambre *f.* waiting room

antilope *f.* antelope

antiquaire *m.* antiquary

apaiser to appease, calm, quell; s'—, to calm down

apercevoir to perceive, see; s'— (de) to perceive, notice

apitoyer to move (to pity); s'—, to be moved (to pity)

aplanir to flatten, smooth away

apparaître to appear

appareil *m.* apparatus, device, appliance

apparent, –e visible, apparent

appartement *m.* apartment

appartenir to belong; on ne s'appartient pas one is not his own master

appel *m.* appeal, call

appeler to call, name, call for; s'—, to be called, named

appétissant, –e appetizing

applaudir to applaud

appliquer to apply; s'—, to apply oneself, work hard

appointements *m. pl.* salary

apporter to bring

apposer to affix, place, put

apprendre to learn, hear of, teach

approbation *f.* approval

approcher to approach; s'—, to come near, approach

approuver to approve

appuyer to support, prop, lean, press

après after, afterwards

après-midi *m. or f. inv.* afternoon

arbre *m.* tree

archéologie *f.* archaeology

archéologique archaeological

archéologue *m.* archaeologist

ardoise *f.* slate

argent *m.* silver, money; — liquide cash

argenterie *f.* (silver-)plate, silverware

argot *m.* slang

arithmétique *f.* arithmetic

Arles *city in the south of France on the Rhône River 55 miles northwest of Marseilles*

armée *f.* army

armer to arm (de with); s'—, to arm oneself

armoire *f.* wardrobe, closet

armure *f.* armor

arracher to tear, pull; s'—, to tear oneself away

arranger to arrange, settle; s'—, to manage, contrive

arrestation *f.* arrest

arrêter to stop, arrest; s'—, to stop

arrière-cousin *m.* second cousin

arrière-grand-père *m.* great-grandfather

arrivée *f.* arrival; dès son —, as soon as he (she) arrived

arriver to arrive, come, succeed, happen; en — à to come to the point of; arrive! come here!

articulation *f.* joint

articuler to articulate

artifice *m.* artifice; feu d'—, fireworks

Artois *former province of northern France*

ascenseur *m.* elevator

asile *m.* shelter, refuge

aspirer to inhale

aspirine *f.* aspirin

assassin *m.* assassin, murderer

assassiner to assassinate, murder

assembler to assemble, connect, put together; s'—, to assemble

assentiment *m.* consent

asseoir to set; s'—, to sit down

assez enough, sufficient, rather, fairly; j'en ai —, I have had enough of it

assigner to assign

assis, –e seated, set, fixed

assourdir to deaden (*sound*), muffle

assurance *f.* insurance; agent d'—s insurance agent

assuré, –e sure, assured

assurer to assure, declare

assureur *m.* insurer, underwriter

astiquer to polish

astreindre to compel; s'—, to force oneself

atmosphère *f.* atmosphere

âtre *m.* fireplace

atroce atrocious

attaché, –e attached, devoted

attacher to attach; s'—, to attach oneself, cling

attaquer to attack

atteindre to reach, overtake, hit; être atteint de to be seized with; atteint dans sa fierté his pride hurt

attenant, –e contiguous

attendre to wait (for), await; en attendant meanwhile

attention *f.* attention, care; —! look out! faire — à to be careful of

attirer to attract, draw

attraper to catch

aucun, –e anyone, any, none, no, not any

au-dessous (de) below

au-dessus (de) above, over

aujourd'hui today, nowadays

auprès (de) near, close to, by

auquel *see* lequel

aussi also, too, as, therefore, so, and so; — grand que as tall as

aussitôt immediately, at once

autant as much, as many; — de as much, as many; — que as much as, as many as, just as well; d'— plus all the more

autobus *m.* bus

automne *m. or f.* autumn

autoriser to authorize

autour (de) round, about

autre other, further; nous —s we people, we all; j'en ai vu bien d'—s I've been through worse than that; personne d'autre nobody else; — chose something else

autrefois formerly; d'— former

autrement otherwise

autruche *f.* ostrich

avaler to swallow

avance *f.* advance; payer d'—, to pay in advance

avancer to advance, move forward; s'—, to advance

avant before, in advance; — de before; en —! forward!

avantageusement favorably

avant-guerre *m.* pre-war period (*before 1939*)

avare miserly

avatar *m.* avatar, transformation, change

aventure *f.* adventure; à l'—, at random, haphazardly

aventurer to venture, risk; s'—, to venture

avertissement *m.* warning

avis *m.* opinion

aviser to advise, perceive; s'— de to take it into one's head to

aviver to quicken

avoir to have, get; — dix ans to be ten years old; il y a there is, there are; qu'est-ce qu'il y a? what is the matter? qu'est-ce que tu as? what's the matter with you? il y a deux ans two years ago; — à tourner to have to turn; je ne l'aurais pas eu sans toi I should not have overcome it had it not been for you

avouer to confess, avow

B

badaud, –e *adj. and s.* idler, bystander

bague *f.* ring; — de fiançailles engagement ring

bah! pooh! pshaw!

baigner to bathe, suffuse

baignoire *f.* bath, bathtub

bain *m.* bath; salle de —s bathroom

baisser to lower

bal *m.* ball, dance

balancer to balance, sway; se —, to swing, rock, sway

balancier *m.* pendulum

balbutier to stammer

balcon *m.* balcony

baldaquin *m.* tester, canopy of a bed

balle *f.* ball, bullet; — perdue stray shot

bambin *m.* little child, kid

banc *m.* bench

bande *f.* band, strip, wrapper

banque *f.* bank

barbe *f.* beard

barbiche *f.* goatee

barème *m.* printed table, schedule (of rates)

barque *f.* boat

barrage *m.* dam

barreau *m.* bar

barrière *f.* barrier, gate, fence

bas, basse low

bas *m.* bottom, lower part; en —, (down) below, downstairs; tout en —, way down below

bas *m.* stocking

bateau *m.* boat

bâtir to build, erect

bâtisse *f.* masonry (*of a building*); *pop.* ramshackle house

bâton *m.* stick; mener une vie de —s de chaise to lead a fast life

battant, –e beating

battre to beat

Bayonne *town in southwestern France near the Spanish border*

béant, –e gaping

béatement blissfully

béatifier to beatify, make blissfully happy

beau (bel), belle beautiful, handsome, fine, good, proper; avoir — (*with infinitive*) to do something in vain, to be useless to; la belle the beautiful (woman), beauty

beaucoup many, a great many,

much, a great deal; **de —,** by far, much

beau-père *m.* father-in-law, step-father

beauté *f.* beauty, beautiful woman

bébé *m.* baby

bécane *f.* bike

bégayer to stutter, stammer

belle-fille *f.* daughter-in-law

belle-mère *f.* mother-in-law

bénéfice *m.* profit

bergère *f.* easy chair

berner to toss in a blanket, make a fool of

bernique! nothing doing!

besogne *f.* work

besoin necessity, need; **avoir — de** to need

bétail *m.* cattle, livestock

bête *f.* beast, animal; *adj.* stupid, foolish

bêtement stupidly; **tout —,** like a fool

beugler to bellow

bibliothèque *f.* library

bicoque *f.* shanty

bicyclette *f.* bicycle

bien well, right, properly, really, quite, very, indeed, much; **— des** many; **eh —!** well! all right! **— que** (*with subj.*) although

bien *m.* property

bientôt soon, before long

bienveillance *f.* benevolence, kindness

biglouse *f.* watch; **toujours à la —,** always on the watch (*slang*)

bijou *m.* jewel, piece of jewelry

bijouterie *f.* jeweler's shop

billet *m.* note, bank note, ticket, bill; **— de banque** bank note

binocle *m.* eyeglasses, pince-nez

bis twice; **75 bis** 75A (*street number*)

bizarrement queerly, oddly

blague *f.* joke; **faire des —s à** to play jokes on

blaguer to joke, chaff

blanc, blanche white; **un —,** a white man

blanchir to whiten, bleach, turn white

blasé, –e blasé, indifferent, bored

blême pale

bleu, –e blue

bloc *m.* block, lump; *slang for* jail, clink; **d'un —,** in a lump; **en —,** in a lump sum

blond, –e blond; **la blonde** the blond (girl)

bœuf *m.* ox, beef

boire to drink; **— un verre** to take a drink

bois *m.* wood

boîte *f.* box, case; **— (de nuit)** night club; **— à musique** music box

bol *m.* bowl

bon, bonne good, kind, nice; **une bien bonne** a good joke

bonbonnière *f.* candy box

bondir to leap, bound

bonheur *m.* good luck, happiness; **par —,** luckily

bonjour *m.* good day, good morning, good afternoon

bonne *f.* maid, servant

bonté *f.* goodness, kindness

borate (*m.*) **de soude** sodium borate

bord *m.* side, edge, brim

Bordeaux *city on the Garonne 365 miles southwest of Paris*

border to border, line

borne *f.* limit; **— kilométrique** stone marking the kilometers;

pl. boundaries, limits; **sans —s** boundless

bosquet *m.* grove

bosse *f.* hump

bossuer to dent

botte *f.* boot

bouche *f.* mouth

boucher to stop (up), cork

Boucher (François) *French painter (1703–1770) famous for his graceful pastoral paintings and genre pieces*

boucler to buckle, fasten, lock up, add up

boudeur, –euse sulky

boue *f.* mud

bouffer to puff out

bougeoir *m.* candlestick

bouger to budge, stir, move

bougie *f.* candle

bougre *m.* fellow; **le pauvre —,** the poor devil (*vulg.*)

bouillie *f.* mush, pulp, pap

bouillir to boil, ferment

bouillonné, –e *pp. and adj.* provided with puffs or ruches, puffy, puffed

boule *f.* ball; **— d'eau chaude** hot-water bottle

bouleverser to upset, throw into confusion

bourgade *f.* important village, small town

bourgeois, –e *adj. and s.* middle-class, bourgeois; middle-class man or woman; **la bourgeoise** the wife, the "missis" (*colloq.*)

bourgeoisie *f.* middle class; **la menue —,** the lower middle class

bourrer to stuff, fill (*a pipe with tobacco*)

bourse *f.* purse, pouch

bout *m.* end, extremity, tip, bit; **être à —,** to be exhausted, be at the end of one's patience; **tout au —,** at the very end

bouteille *f.* bottle

bouton *m.* button

boutonner to button (up); **se — tout seul** to button one's clothes without help

boyau *m.* (*bicycle*) tire

braire to bray

branche *f.* branch, bough

brandir to brandish

branler to shake

bras *m.* arm

brave brave, good, worthy

bredouiller to mumble, stammer

bref, brève *adj.* brief, short; *adv.* in short

Brest *seaport in Brittany 358 miles west of Paris*

Bretagne *f.* Brittany (*former province in northwestern France*)

brigadier *m.* corporal

brillant, –e brilliant, splendid

briller to shine, sparkle

brise *f.* breeze

briser to break, smash

broche *f.* spit

brosse *f.* brush; **— à dents** toothbrush; **moustache en —,** bristling moustache

bruit *m.* noise, report, rumor, fuss

brûler to burn

brume *f.* fog

brun, –e brown, dark (*complexion*); **une brune** a woman of dark complexion, brunette

brusquement abruptly, suddenly

brusquer to hurry

brutal, –e brutal, coarse, rough

bruyant, –e noisy, loud

bu, –e *pp. of* **boire**

bûche *f.* (fire) log

buffet *m.* sideboard, buffet

bureau *m.* office

busqué, –e aquiline, hooked (*nose*)

buste *m.* bust

but *m.* aim, goal

butor *m.* booby, dolt, lout

butte *f.* knoll; la Butte = la Butte Montmartre (*hill in the northern section of Paris; see under* Montmartre)

C

ça that; c'est pour — que that is why; — y est that's it, all right, we've got it

cabinet *m.* office

caboulot *m. pop.* low bar, saloon

cacher to hide; se —, to hide

cachet *m.* cachet, capsule

cachot *m.* dungeon

cadavre *m.* corpse

cadeau *m.* present; faire un —, to give a present

cadenas *m.* padlock; fermer au —, to padlock

cadence *f.* cadence, rhythm

cadet, cadette *adj. and s.* younger, youngest, junior

cadre *m.* frame

café *m.* coffee, café

caissier *m.* cashier

calamiteux, –euse calamitous, unfortunate

calcul *m.* calculation

calculer to calculate

calendrier *m.* calendar

calepin *m.* notebook

Californie *f.* California

calme calm

calmer to calm

calvaire *m.* calvary

camarade *m.* comrade

cambriolage *m.* burglary

cambrioleur *m.* burglar

camion *m.* truck

camomille *f.* camomile

campagne *f.* (*open*) country

canaque Kanaka (*of the South Sea Islands*)

cancrelat *m.* cockroach; — routinier "lousy mossback"

candidature *f.* candidacy

canne *f.* cane

canton *m.* canton, district

capital, –e capital, principal

capital *m.* capital, assets

capitale *f.* capital, chief city

capitaliser capitalize; — l'intérêt avec sa mise de fonds to compound the interest with his capital

caprice *m.* caprice, whim

captif, –ive *adj. and s.* captive, prisoner

car for, because

caractère *m.* character, nature, disposition

Carcassonne *city in southern France 526 miles from Paris*

carême *m.* Lent; face de —, cadaverous face

carillonner to ring a peal, chime

carnet *m.* notebook

carré, –e square

carreau *m.* check; —x de couleurs colored checks

carrefour *m.* crossroads, square, intersection (*of streets*)

carrière *f.* career

carte *f.* card; — de visite visiting card; — postale postcard

carton *m.* cardboard

cas *m.* case

casquette *f.* cap

casser to break, snap

catholique Catholic, orthodox

cauchemar *m.* nightmare

Caulincourt: rue —, *street in Montmartre*

cause *f.* cause, reason; à — de on account of

causer to cause, converse, chat

cave *f.* cellar

ce *dem. pro.* this, that, it, he, she, *etc.;* **n'est-ce pas?** isn't it so?; — **qui,** — **que** which, that which, what; **tout** — **qui, tout** — **que** everything, all (that)

ce (cet), cette, ces *dem. adj.* this, that, these, those

ceci *dem. pro. neut.* this, this thing

céder to yield

ceinturon *m.* sword belt

cela *dem. pro. neut.* that, that thing, it

célébrité *f.* celebrity

célibataire *m.* bachelor

cellier *m.* cellar

cellule *f.* cell

celui, celle (*pl.* **ceux, celles**) *dem. pro.* this one, that one, the one, this, that, these, those; —-**ci** the latter; —-**là** the former

cendre *f.* ash, ashes

cendré, –e ashy, ash-colored

cent (a, one) hundred

centaine *f.* a hundred (or so), about a hundred

centaure *m.* centaur

centime *m.* centime (*a hundredth part of a franc*)

cependant meanwhile, still, nevertheless; — **que** while

cercueil *m.* coffin

cérémonie *f.* ceremony

certain, –e certain, sure, fixed, some

certainement certainly

certitude *f.* certainty

cerveau *m.* brain

cesser to cease, stop

chacun, –e each, each one, everybody, everyone

chagrin *m.* grief, sorrow, vexation

chaîne *f.* chain, fetters; **faire la** — **avec des seaux** to organize a bucket brigade

chaînette *f.* small chain

chaise *f.* chair, seat

chaise-longue *f.* lounge chair, couch

chaleur *f.* heat, warmth

chambre *f.* room, chamber; — **d'ami** guest room

chameau *m.* camel; (*applied to a man*) beast, cur

champagne *m.* champagne (*wine*)

chance *f.* chance, luck; **avoir de la** —, to be lucky; **tenter la** —, to try one's luck

chandail *m.* sweater

changeant, —**e** changing, changeable; **aussi** — **que la couleur du temps** as changeable as the weather

changement *m.* change

changer to change, exchange; **on le changeait de cage** his cage was changed; **se** —, to change

chanson *f.* song; — **à boire** drinking song

chant *m.* singing, song

chantant, –e musical

chanter to sing

chantier *m.* workyard, scaffolding

chantonner to hum

chapeau *m.* hat

chapitre *m.* chapter, subject, matter

chaque each, every

charabia *m.* gibberish

charger to load, charge, entrust; **être chargé de** to be in charge of; **se — de** to undertake, take charge of, attend to

charmant, –e charming

charnière *f.* hinge

charogne *f.* carrion; (*pop.*) wench

charrette *f.* cart; (*pop.*) lass, girl

chasse *f.* hunting, chase; **un trophée de —,** a hunting trophy

château *m.* castle, country seat, mansion, manor

chaud, –e hot, warm; **tenez-le au —,** keep him warm

chaussée *f.* road, roadway

chaussure *f.* footwear, shoes

chemin *m.* road, way, path; **— de fer** railroad

cheminée *f.* fireplace, mantelpiece, chimney

chêne *m.* oak

cher, chère dear; **mon —,** my dear; **— ami** my dear fellow; **ma chère amie** my dear

Cherbourg *city in Normandy on the English Channel*

chercher to look for, seek, try; **aller —,** to (go and) get

chéri, –e dear, darling; **mon chéri (ma chérie)** dearest, darling

chevelure *f.* hair, head of hair

chevet *m.* head (of a bed), bedside

cheveu *m.* (a single) hair; **les cheveux** the hair

chèvre *f.* goat

chevroter to speak in a quavering voice

chez with, among, at the house of, in the room of; **— nous** (at) our house

chicaner (se) to squabble

chiffon *m.* rag

chiffre *m.* figure, number, amount

chinois, –e Chinese

chintz *m.* chintz (*colored fabric from India*)

choc *m.* shock

chœur *m.* chorus

choisir to choose, select

choix *m.* choice, selection

chose *f.* thing, matter

chromomaniaque chromomaniac, color mad

chute *f.* fall

ciel *m.* sky, heaven

cierge *m.* wax candle

cil *m.* eyelash

cime *f.* top

ciment *m.* cement

Cincinnatus *Roman general (519?–439? B.C.) who returned to his farm after the war emergency was over*

cinéaste *m.* movie director

cinéma *m.* movies

cirage *m.* waxing, polish (*for shoes*)

circuler to circulate, pass, move about

cirer to wax, polish

ciseaux *m. pl.* scissors; **— à raisins** grape scissors

citron *m.* lemon; *adj.* lemon-colored

clair, –e clear, light, bright; **— de lune** moonlight; **sabre au —,** with drawn sabre

clairement clearly

claquer to clack, smack, slam (*the door*); *pop.* to die, croak

classe *f.* class

clé, clef *f.* key; **fermer à —,** to lock; **à deux tours de —,** with a double lock

client *m.* customer

cligner to blink; — un œil to wink

cloison *f.* partition

clos, –e closed

clôture *f.* enclosure; mur de —, enclosing wall

clou *m.* nail

clouer to nail

cochon *m.* pig

cœur *m.* heart; connaître par —, to know by heart; de bon —, heartily

coffre-fort *m.* safe, strongbox

coffret *m.* (*small*) box

cogner to knock, thump, bump

coin *m.* corner

col *m.* collar, pass (*in the mountains*)

colère *f.* anger; se mettre en —, to get angry

colis *m.* parcel, package

collègue *m. and f.* colleague

coller to paste, stick, glue

collier *m.* necklace

Cologne *city in Germany on the Rhine River;* eau de —, Cologne water, toilet water

colonne *f.* column

combien how much, how many, how

comble *m.* top, highest point; mettre le — à to crown, complete

comédie *f.* comedy

commander to command, order; — à to control

comme as, like, as if, how; — ça so, thus; — pour as if to

commencer to begin, commence

comment how, why

commentaire *m.* commentary

commission *f.* errand, commission; s'en aller aux —s to go on errands

communiquer to communicate

commutateur *m.* switch

compact, –e compact, dense

compagnie *f.* company

compagnon *m.* companion, comrade

comparer to compare; se —, to be compared

complaisance *f.* complacency

complémentairement in a complementary fashion, more fully

complet, –ète complete

compléter to complete

compliment *m.* compliment; *pl.* kind regards, greetings

compliqué, –e complicated

compréhensible comprehensible

comprendre to understand; n'y — rien not to make anything out of it

compromettre to compromise

compte *m.* account, count, score, reckoning; le — exact de ton existence your precise life expectancy; son — est bon he's in for it; se rendre — de to realize

compter to count (up), reckon, consider, intend; — faire to count on doing

comptoir-caisse *m.* cashier's desk

concierge *m. and f.* janitor, (house) porter, doorkeeper

conclure to conclude

concurrent *m.* competitor

condamner to condemn

conduire to conduct, lead, take, drive

conduite *f.* conduct, behavior

conférence *f.* lecture

conférencier *m.* lecturer

confiance *f.* confidence; mettre en —, to make confident

confidence *f.* confidence; **elle ne lui faisait pas de —,** she didn't confide in him

confier to confide, disclose

confondre to confound, confuse

confus, –e confused, embarrassed

congédier to dismiss

congrès *m.* congress, collection

conjurer to ward off

connaissance *f.* acquaintance

connaître to know, be acquainted with, get to know, meet; **se — à** *or* **en** to understand, be a good judge of

conquête *f.* conquest

consacrer to consecrate, devote

conscience *f.* conscience, conscientiousness

conscient, –e conscious

conseil *m.* counsel; (piece of) advice

conséquemment consequently

conséquence *f.* consequence; **en — de ce que** pursuant to the fact that

conserver to keep, retain

considération *f.* consideration, regard

considérer to consider

consistance *f.* consistency

consoler to console, comfort

constater to find out, state, verify

constituer to constitute, form

construire to construct, build

consulter to consult

contempler to contemplate

contemporain, –e contemporary

contenir to contain, hold

content, –e content, glad, satisfied, pleased (**de** with)

contenter to content; **se —,** to be satisfied

conter to tell, relate

continu, –e continuous, unceasing

continuer to continue

contraire contrary; **au —,** on the contrary

contrarier to oppose, vex, annoy

contrariété *f.* vexation, annoyance

contre against, close to, by

contre-jour *m.* counter-light; **à —,** against the light

contre-partie *f.* equivalent weight in a precious metal

contribuer to contribute

contrôleur, –euse ticket collector

convaincre to convince; **se —,** to convince oneself

convenable suitable, decent, proper

convenir to suit, agree

coquetier *m.* eggcup

corbeau *m.* crow, raven

corbeille *f.* basket; **— de mariée** wedding presents (*given to bride by bridegroom*)

corbillard *m.* hearse

corbin *m.* hook, handle

corde *f.* rope

cordial, –e cordial

corps *m.* body; **un drôle de —,** a funny fellow, a wag; **— thyroïde** thyroid gland

correspondre to correspond

corridor *m.* corridor, passage

costume *m.* costume, dress, suit

côte *f.* slope, hill

côté *m.* side, branch of the family; **de l'autre —,** on the other side; **de ce —-là** on that score; **de —,** on one side, aside; **à — de** by the side of, next to; **du — de** in the direction of; **à mes —s** by my side

Cotentin *peninsula in Normandy*

couche *f.* bed, layer

coucher to put to bed, sleep; **se — ** to go to bed, lie down; (*of the sun*) to set; **aller se —,** to go to bed

coudre to sew

couler to run, flow

couleur *f.* color, complexion, appearance; **la — du temps** the weather

couloir *m.* corridor

coup *m.* knock, blow, stroke, throb; **— de sang** apoplectic stroke; **tout d'un —,** suddenly; **jeter dehors à —s de pied** to kick out

couper to cut, cut off, interrupt

coupure *f.* cut

cour *f.* yard, court

courant, –e *adj. and s. m.* current, current month, of this month, instant

courbe *f.* curve

courber to bend, curve

coureur *m.* racer; **— cycliste** bicycle racer

courir to run, race, run over, circulate

courrier *m.* mail; **par retour du —,** by return mail

cours *m.* course; **au — de** during

course *f.* race, run, running, course, journey, errand

court, –e short

courtoisie *f.* courtesy

couru, –e run; **c'est —,** it's all over

cousin *m.*, **cousine** *f.* cousin

coussin *m.* cushion

cousu, –e *pp.* sewn

Coutainville *imaginary town*

couteau *m.* knife

coûter to cost; **— bien trop cher** to be much too expensive

couture *f.* sewing, seam

couvert *m.* place (*at table*); fork, knife, and spoon

couverture *f.* cover, blanket

couvrir to cover

cracher to spit

craie *f.* chalk

craquement *m.* cracking, creaking

craquer to crack, creak

cravate *f.* tie, necktie

crayon *m.* pencil

création *f.* creation

crédit *m.* credit; **établissement de —,** trust company, bank, loan association; **— municipal** municipal pawnshop

crémerie *f.* dairy

crêpe *f.* crape, mourning crape

crépi *m.* rough-coat (*of masonry*)

crescendo *m.* crescendo (*Italian*)

creux *m.* hollow

cri *m.* cry, shout

crier to cry, call out, shout

criminel, –elle *adj. and s.* criminal

cristal *m.* crystal

crocheter to pick (*a lock*)

croire to believe (**à** in)

croisée *f.* casement window

croiser to cross, fold, pass

croisillon *m.* crossbar (*of a window*)

croître to grow, increase

cruauté *f.* cruelty

cueillir to pick, gather; (*colloq.*) "nab"

cuir *m.* leather

cuire to cook, burn; **cuit à point** done to a turn

cuisine *f.* kitchen

cuisinière *f.* cook

cul *m.* bottom

167

VOCABULAIRE

culotte *f.* breeches; — de golf golf knickers
cultiver to cultivate
curé *m.* parish priest
curieux, –euse curious, interested, inquisitive
curiosité *f.* curiosity
cycliste *m. and f.* cyclist; coureur —, bicycle racer
cynisme *m.* shamelessness, cynicism

D

dame *f.* lady, married woman
dame *int.* rather! (yes) indeed!
dans in, into, to, within; about (*with numbers*)
danser to dance
danseur *m.*, danseuse *f.* dancer
darder to shoot forth, dart
dater to date; — de to date back to
davantage more
de of, from, by, with, than, some
débarquer to disembark, land, alight
débarras *m.* riddance, rubbish; storeroom
déborder to overflow; débordés par préparatifs overwhelmed by preparations
débouché *m.* outlet
déboucher to emerge
debout upright, standing; se mettre —, to stand up
début *m.* beginning, start; au —, at the start
décembre *m.* December
déception *f.* disappointment
décevoir to deceive, disappoint
décharné, –e emaciated, gaunt
déchiqueté, –e jagged (*edge*)
déchirer to tear (up), open
décider to decide; se —, to make up one's mind

décision *f.* decision
déclarer to declare, announce
décoller (se) to come off, get loose, become unglued
décor *m.* decoration, scenery
décorner to take off the horns of
découper to cut out; se —, to stand out, show up
découverte *f.* discovery
découvrir to discover, uncover
décrire describe
décrocher to unhook, take down, get, win
déçu, –e disappointed
dedans inside, within; là-—, in that
déduire to deduct
défaire to undo, untie
défi *m.* challenge, defiance
défilé *m.* procession
défiler to march (past), walk in file
défunt, –e deceased
dégoûter to disgust
déguiser to disguise
dehors *adv. and s.* outside, out; en —, outwards, off
déjà already
déjeuner to breakfast, lunch, take lunch
déjeuner *m.* lunch; petit —, breakfast
délaisser to forsake, desert
délices *f. pl.* delight(s), pleasure(s)
délirant, –e delirious, rapturous
délire *m.* delirium
délivrance *f.* deliverance
délivrer to deliver, free
demain tomorrow
demande *f.* request, demand, application
demander to ask (for), beg; se —, to wonder, ask oneself
démener (se) to struggle, toss about

demeure *f.* dwelling place, abode

demeurer to remain, live

demi, –e half; demie *f.* half-hour

demi-cercle *m.* semicircle

demi-journée *f.* half-day

demi-siècle *m.* half-century

démissionner to resign

démoniaque demoniacal

démonter to dismantle; se —, to get upset

dent *f.* tooth; être sur les —s to be worn out

dépaillé, –e without straw seat

départ *m.* departure, starting, start, beginning

dépasser to pass beyond, exceed

dépêche *f.* telegram

dépêcher (se) to make haste, hurry (up)

dépense *f.* expenditure

dépenser to spend; se —, to exert oneself

déplacer to displace, remove, move away

déplier to unfold, spread out; — tout grand to open wide, spread out

déplorable deplorable

déposer to deposit, leave

depuis since, for, since then, afterwards, from; — que since

déraisonnable unreasonable

dérision *f.* derision, mockery

dernier, –ère last; ce —, the latter; le mois —, last month

dernièrement lately

derrière *prep.* behind

derrière *m.* back, backside

dès from, as early as, since; — que as soon as; — lors since (then); — maintenant right now

désagréable disagreeable

désappointer to disappoint

désarroi *m.* disorder

descellé, –e loose

desceller to loosen

descendre to descend, come down, go down, alight, get off; — au sommeil to drop off to sleep

descente *f.* descent, slope; à la — *or* aux —s going downhill

désemparé, –e helpless, in distress

déséquilibre *m.* lack of balance, unsteadiness

désespérer to despair

déshabiller (se) to undress

déshabituer (se) de to grow unused to, break oneself of the habit of

déshonorer to dishonor

désigner to designate, show

désir *m.* desire (de for), wish

désirer to desire, want

désordre *m.* disorder, confusion

desserrer to loosen; — les dents to open one's mouth

dessous under, underneath, below; au-— de below, under

dessous *m.* lower part

dessus above, over, upon (it); au-— de above; là-—, thereupon

destin *m.* fate, destiny

destinataire *m. and f.* addressee

destinée *f.* destiny

destiner to destine, intend

détacher to detach

détail *m.* detail

détermination *f.* determination

déterrer to unearth

détester to detest, hate

détourner to divert, turn aside, turn away

détriment *m.* detriment

devant before, in front of

développement *m.* development

développer to develop

devenir to become, become of; **qu'est-ce que tu deviendras?** what will become of you?

dévier to deviate, turn (aside)

deviner to guess, divine

devoir must, have to, should, ought, owe; **on a dû** one must have

dévorer to devour

diamant *m.* diamond

dieu *m.* god; — **merci!** thank heaven! **mon** —! good heavens! dear me! (*in direct address*) O Lord! my Lord!

différence *f.* difference

différencier to differentiate

différer to defer, put off

difficile difficult

difficilement with difficulty

dimanche *m.* Sunday

dîner to dine; *m.* dinner

dire to say, tell, talk; — **vrai** to tell the truth; **comme qui dirait** so to speak; **à ce qu'on disait** according to gossip; **c'est-à-**—, that is to say; **on ne peut pas** —, one cannot deny it; **dis donc** I say; **vouloir** —, to mean

directeur *m.*, **directrice** *f.* director

diriger to direct; **se** —, to make one's way

discours *m.* speech

discussion *f.* argument, discussion

disparaître to disappear, be hidden

dispendieux, –euse expensive, costly

disposer to dispose, arrange

dispute *f.* altercation, quarrel

dissiper to dispel

distinguer to distinguish

divan *m.* divan, couch

divers, –e various; **fait** —, news item, news-in-brief (column)

divin, –e divine

diviser to divide

divorcer to divorce, get a divorce

docteur *m.* doctor

doigt *m.* finger

dolent, –e doleful, plaintive

domestique *m. and f.* servant

domicile *m.* home, domicile

dominer to dominate, tower above; **se** —, to control oneself

dommage *m.* damage, pity; **c'est** —, it's a pity

dompteur *m.* tamer, (*wild animal*) trainer

don *m.* gift

donc therefore, then

donner to give, yield; — **sur** to look out on; — **des coups** to strike some blows; **cela donne à réfléchir** that gives food for reflection; **vous** — **satisfaction** to satisfy your desires

dont of whom, of which, whose, which

dorer to gild

dormir to sleep, be asleep

dos *m.* back; **le bien sur le** —, with the property on your hands

dossier *m.* back (*of seat*)

doter to dower, endow, furnish

doucement gently, softly, slowly

doué, –e gifted

douleur *f.* pain, sorrow; — **de tête** headache

douloureux, –euse painful, sad

doute *m.* doubt; **sans** —, no doubt, doubtless

doux, douce sweet, soft, pleasant

doyen *m.* dean, senior

drame *m.* drama

drap *m.* cloth, sheet

dresser to draw up; se —, to stand up, sit up

droit, –e straight, upright, right; entrer tout —, to go in straightaway; le —, right

droite *f.* right (hand); de —, to the right

drôle funny, droll, odd; de —s d'animaux funny animals; un — de corps a funny fellow, a wag; faire les —s to act funny, clown

dromadaire *m.* dromedary

dû, due due, owing

dûment duly, in due form

Dunkerque Dunkirk, *city on the North Sea 190 miles north of Paris*

dur, –e hard, tough, harsh

durant during

durcissement *m.* hardening

durer to last

E

eau *f.* water; — de Cologne Cologne water, toilet water

eau-de-vie *f.* brandy

écaille *f.* shell, tortoise shell

échafauder to erect scaffolding, prepare

échange *m.* exchange

échapper to escape; s'—, to escape

écharpe *f.* scarf

échine *f.* backbone; gagner son pain à la sueur de son —, to earn his bread by the sweat of his brow

échouer to fail

éclair *m.* flash

éclairer to light, illuminate

éclat *m.* brilliancy

éclatant, –e dazzling, brilliant

éclater to burst, explode; — de rire to burst out laughing

écœurer to disgust

économie *f.* economy; faire des —s to save

économiser to economize, save

écouter to listen (to)

écraser to crush, squash

écrier (s') to cry (out), exclaim

écrin *m.* (jewel) case

écrire to write

écuelle *f.* bowl

éducation *f.* training, upbringing

effarement *m.* fright

effectuer to effect, carry out

effet *m.* effect, impression; en —, in fact, indeed

effigie *f.* effigy

efforcer (s') to strive

effriter (s') to crumble

effroyable frightful

égal, –e equal

également equally, alike, also, likewise

égaré, –e lost, mislaid, distraught, wild

égayer to enliven

église *f.* church

égoïsme *m.* selfishness

égoïste selfish

égratigner to scratch

Égypte *f.* Egypt

élancer (s') to spring, rush (forward)

élargir (s') to widen, grow

électricité *f.* electricity

électrique electric

élégant, –e elegant, stylish; *m.* dandy

élever to raise, bring up, rear

éloge *m.* praise

éloigné, –e far, distant

éloigner (s') to move off

embarrassé, –e embarrassed

embêter to annoy, vex; s'—, to be bored

embrasser to embrace, kiss

émeraude *f.* emerald

émerger to emerge

Émilie Emily, Emilia

emmailloter to wrap up

emmener to take away

émoi *m.* emotion

émotion *f.* emotion, excitement

empailler to stuff

emparer (s') de to take possession of

empêcher to prevent, hinder; s'—, to refrain

Empire *m.* Empire, *of Napoleon I (1804–1815) or of Napoleon III (1852–1870)*

emplir to fill (up)

employé employee, clerk

employer to use; s'—, to apply oneself

empoigner to grasp, seize

empoisonner to poison

emporter to take away; s'—, to lose one's temper

emprunter to borrow

ému, –e affected, moved, touched; remerciements —s profound thanks

en in, into, to, by, while, as, like, (made) of; of him (her, it, them); some, any; from there, on that account

encadrement *m.* frame, framing

enchanté, –e enchanted; — (de) delighted (with)

encore still, yet, again, more, even; — un another; — des some more; — que although

encre *f.* ink

encrier *m.* inkstand

endormi, –e asleep

endormir (s') to fall asleep

endroit *m.* place

énergie *f.* energy, force

énergumène *m.* energumen, person possessed, fanatic

énerver (s') to become exasperated

enfance *f.* childhood

enfant *m. and f.* child, boy, girl

enfermer to shut up, enclose

enfiler to slip on (*clothes*)

enfin finally, at last, in fact, in short, anyhow, after all

enflammer to inflame

enflé, –e swollen

enfoncer (s') to penetrate, go far

enfouir to bury, hide

enfourcher to bestride, straddle

engageant, –e engaging, winning

engager to engage; s'—, to become engaged to be married; s'— dans to enter

engelure *f.* chilblain

engourdi, –e numb

engourdir to numb, benumb

enjamber to step over

enlever to remove, carry away, take away, carry off, win

ennemi *m.* enemy; — de toujours inveterate enemy

ennui *m.* worry, anxiety, trouble, boredom

ennuyer to annoy, worry; s'—, to be bored

énoncer to articulate (*word*)

énorme enormous, huge

énormément enormously, extremely

enregistrement *m.* registration; ministère de l'—, Bureau of Records (*nonexistent government department*)

enrubanner to deck with ribbons

ensemble together

ensuite then, after(wards)

entasser to heap (up), pack together

entendre to hear, listen to, intend; bien entendu of course

enterrement m. burial

enterrer to bury

enthousiasme m. enthusiasm

entier, –ère entire, complete; tout —, entirely

entièrement entirely, wholly

entortiller (s') to wrap oneself up

entourer to surround

entraînement m. allurement

entraîner to carry along, carry away, entail, involve; s'—, to train

entre between, among

entrebâillé, –e half-open

entrée f. entrance

entreprendre to undertake

entrepreneur m. contractor

entrer to enter, go in, come in

entresol m. mezzanine, entresol

entretien m. conversation

envahir to invade

envie f. desire, envy; avoir — de to want, feel like

environ about; m. pl. environs; aux environs in the vicinity

envoler (s') to fly away

envoyer to send

épais, épaisse thick

épaisseur f. thickness, dullness

épars, –e scattered

épater to astound, flabbergast

épaule f. shoulder

éperdu, –e bewildered, frantic

épier to watch, spy (upon)

épingle f. pin

épistolaire epistolary

époque f. epoch, era, age, time

épouse f. wife

épouser to marry

épouvantable dreadful, frightful

épouvante f. terror, fright

épouvanter to terrify, frighten

époux m. husband

épreuve f. proof, test

éprouver to feel, experience

équilibre m. equilibrium

escabeau m. stool, stepladder

escalier m. staircase, stairs

esclave m. and f. slave

espèce f. kind, sort

espérance f. hope

espérer to hope

espoir m. hope

esprit m. spirit, mind

essayer to try

essuyer to wipe

estomac m. stomach

estrade f. platform, stage

et and

établir to establish, set up

établissement m. establishment; — de crédit trust company

étage m. floor; sixième —, seventh floor

étaler to spread out, lay out

étape f. stage (of race), halting place

état m. state, condition

été m. summer

éteindre to extinguish

étendre (s') to lie at full length, extend, stretch (out)

étendu, –e outstretched, stretched out

étêté, –e pp. with top lopped off

étiquette f. label, ticket, tag

étoile f. star; de la « trois étoiles » three star brandy (of the best brand)

étonnement m. astonishment, surprise

étonner to astonish, surprise;

s'—, to be astonished, be surprised

étouffer to suffocate, stifle

étrange strange

étranger, –ère foreign, strange; s. foreigner, stranger

être to be, exist, go; **il s'en fut** he went away; **y — pour quelque chose** to have something to do with it

étroit, –e narrow, strict

étroitement closely

étudiant *m.* student

eucalyptus *m.* eucalyptus, gum tree

euh! *int.* ugh! ah! (*expressing surprise or weariness*)

évader (s') to escape

évanouir (s') to faint

évaporé, –e giddy, flighty

évasion *f.* escape

éveiller (s') to wake (up)

événement *m.* event

évidemment evidently, obviously

éviter to avoid, spare; **s'—**, to spare oneself

exactement exactly

exaltation *f.* excitement, exaltation

examen *m.* examination

exaucer to grant

excentrique eccentric, odd

exceptionnel exceptional

excès *m.* excess

exclamer to exclaim, cry out

exécrer to execrate, loathe

exécuter to execute, carry out

exemple *m.* example; **par —**, for instance; **à l'— de** in imitation of

exercer to exercise, make use of, practise; **s'—**, to be employed

exhaler to exhale, emit

exigeant, –e exacting, hard to please

exigence *f.* exigency, unreasonable demand

exiger to insist upon, require

exister to exist, be, live

exorcisme *m.* exorcism

expédier to dispatch, send off

expliquer to explain

exploiteur *m.* exploiter

exposer to exhibit, explain

exprès intentionally; **c'est fait —**, it is cut out for that

exprimer to express

extérieur, –e exterior

extraordinaire extraordinary

extrêmement extremely

extrémité *f.* extremity, end, extreme

F

face *f.* face; **en — de** opposite; **regarder bien en —**, to look straight in the face

facétie *f.* joke, jest

fâché, –e angry, sorry

fâcher (se) to get angry

facile easy

facilement easily

façon *f.* manner, way; **à la — de** like; **de telle — que** so that

facteur *m.* postman

faction *f.* sentry duty, guard

faculté *f.* faculty

fade colorless, insipid

faible weak, feeble

faiblement weakly

faim *f.* hunger; **avoir —**, to be hungry

faire to do, make, cause (to), have, say; **faire faire** to have made; **— mourir** to kill; **— naître** to bring forth, create; **— porter** to deliver; **— tomber** to knock down; **— venir** to send for; **— voir**

174

to show; — **des blagues** to play jokes on (**à**); — **peur à** to frighten; — **plaisir à** to please; — **une petite réception à** to welcome nicely; **ne — que** to serve only to; **cela fait bien** that looks well; **cela ne fait rien** that makes no difference, never mind; **comment se fait-il que** how does it happen that

fait *m.* fact, act; — **divers** news item, news-in-brief (column); **en — de** as regards, in the category of

fallacieux, –euse fallacious, misleading

falloir to be necessary, need, must; **comme il faut** properly, proper; **tout ce qu'il faut** everything needed; **il ne faut pas confondre** one must not confuse

fameux, –euse famous

familier, –ère familiar

famille *f.* family

faner (**se**) to wither, fade

fanfaron *m.* braggart

fantaisie *f.* imagination, fancy, whim

fantôme *m.* phantom, ghost

farce *f.* prank; **une mauvaise —,** a practical joke

farine *f.* flour

fatiguer to fatigue, tire

faucher to mow

« Faust » *opera by Gounod based on a tragedy of Goethe; also the hero of either*

faute *f.* fault; **de ta —,** your fault

fauteuil *m.* armchair

faux, fausse false, wrong

faveur *f.* favor

félicité *f.* happiness, felicity

féliciter to congratulate

femme *f.* woman, wife

fendre to split

fenêtre *f.* window

fer *m.* iron

fer-blanc *m.* tin

ferme firm, steady

fermer to close, shut; — **à clé** to lock

fermier *m.* farmer; — **général** farmer general (*of revenues*)

ferraille *f.* old iron, scrap iron; **à la —!** to the junk pile (with it)!

fertile fertile, fruitful

ferveur *f.* fervor, ardor

fête *f.* feast, festival, fête, entertainment, festivity

feu *m.* fire; — **d'artifice** fireworks; — **de joie,** bonfire; **mettre le — à** to set fire to; **à petit —,** with a slow fire

feu, –e late, deceased

feuillage *m.* foliage

feuille *f.* leaf, sheet (*of paper or of cardboard*)

feuilleter to turn over (*the pages of a book*)

fiançailles *f. pl.* engagement, betrothal

fiancé *m.* bridegroom, fiancé

fiancée *f.* bride, fiancée

ficeler to tie up

ficelle *f.* string, twine

ficher to drive *or* stick in; **se — de** to laugh at, make fun of

fichu *m.* neckerchief, kerchief

fidèle faithful

fidélité *f.* fidelity

fier, fière proud

fierté *f.* pride

fièvre *f.* fever

figer to coagulate, solidify

figure *f.* figure, face

figurer to appear, figure

filasse *f.* tow; **cheveux —,** tow-headed

fille *f.* daughter, girl; **— à marier** marriageable girl *or* daughter

fils *m.* son

fin *f.* end, aim; **à la —,** finally; **sans —,** endless

fin, –e fine, choice, thin, delicate

finalement finally

fini, –e finished, ended; **— tout ça** that's all over

finir to finish, end; **qui n'en finiront jamais** endless; **— par** finally

fixer to fix, stare at

flambant, –e flaming; **— neuf** brand-new

flambée *f.* blaze, brushwood fire

flamme *f.* flame

flânerie *f.* dawdling, idling, stroll

flatter to flatter

fleur *f.* flower; **à —s** flowered

flocon *m.* flake

flore *f.* flora

flot *m.* wave, flood, multitude, vast quantity

flotter to float

fluide fluid

foi *f.* faith; **ma —,** upon my word, indeed

foin *m.* hay

fois *f.* time; **une —,** once; **des —,** at times; **encore une —,** once more; **il y avait une —,** once upon a time there was

folie *f.* madness, folly

folle *see* fou

follement madly

foncé, –e dark (*color*)

fonction *f.* function

fonctionnaire *m.* civil service employee, government worker

fonctionner to function

fond *m.* bottom, back, far end; **à —,** thoroughly; **au —,** at the rear, at the bottom

fondre to melt, dissolve

fonds *m.* funds, capital

forain, –e pertaining to fairs and markets, itinerant

force *f.* strength, force, violence; **à — de** by dint of; **à — de le voir** through seeing him so much

forêt *f.* forest

formalité *f.* formality

forme *f.* form, shape; **avoir la —,** to be in form

former to form

formidable formidable, tremendous, dreadful

formule *f.* formula

fort, –e strong, loud; **—e fièvre** high fever; *adv.* very

fortement strongly, vigorously

fossoyage *m.* ditching

fou (fol), folle mad, insane, crazy, prodigious, tremendous; *m.* madman, fool; **au —!** madman!

foudroyer to strike down, blast

fouet *m.* whip, lash

fouiller to rummage

foule *f.* crowd, multitude, populace

fourchette *f.* fork

fourneau *m.* furnace, stove

fourrager to forage, rummage, search

fourrer to stuff, cram

foutre to thrust; **— le camp** beat it, clear out; **je m'en fous** I don't care a hang! (*vulg.*)

fr. *abbr. for* franc

fracasser to shatter, break to pieces

frais, fraîche fresh

frais *m. pl.* expenses, cost
f'rait *for* ferait
franc *m.* franc
français, –e French
frapper to strike, knock; **on frappe** there is a knock
Fräulein (*Ger.*), nursemaid, governess
fréquenter to associate with
frère *m.* brother
frileux, –euse sensitive to cold, chilly
frisé, –e curly
friser to touch, border upon, approach
frisson *m.* shiver, shudder
froid, –e cold; *m.* cold; **avoir —,** to be cold; **avoir — aux pieds** to have cold feet
froisser to crumple
front *m.* forehead
frottement *m.* rubbing, friction
frotter to rub; **— une allumette** to strike a match
fuite *f.* flight; **mettre en —,** to put to flight
fumer to smoke
furieux, –euse furious
furtivement furtively
fusée *f.* rocket
fusil *m.* gun, rifle

G

gaffe *f.* blunder
gagner to gain, win, earn
gai, –e gay, merry
gaiement gaily
gaieté *f.* gaiety, mirth
gaine *f.* sheath, casing
galant, –e gallant; *m.* suitor
gallo-romain, –e Gallo-Roman
galon *m.* stripe, chevron
galoper to gallop
galopin *m.* scamp, rascal

gamin *m.* (street-)urchin, youngster, kid
gaminerie *f.* mischievousness, prankishness
ganter to glove
garçon *m.* boy, son, young man, employee, waiter
garde *f.* guard, watch(ing)
garder to keep, retain, guard, preserve
gardien *m.* guardian, guard, keeper; **— de la paix** policeman
garni, –e furnished
garnir to trim, line
garou *from* **loup-garou** *m.* werewolf (*half-man half-wolf*); **Garou-Garou** *is a humorous repetition*
gâté, –e spoiled
gâteau *m.* cake
gâter to spoil, indulge; **se —,** to deteriorate, spoil
gauche left; **à —, de —,** to the left
gazon *m.* turf, lawn
gémir to groan, moan
gênant, –e annoying, in the way
gendarme *m.* gendarme, policeman
gendarmerie *f.* body of gendarmes, police, constabulary
gêné, –e embarrassed
gêner to inconvenience, constrict, cramp
général, –e general; *m.* general; **fermier —,** *see* **fermier**
généreusement generously
généreux, –euse generous
générosité *f.* generosity
génial, –e having genius, ingenious, clever
génie *m.* genius, genie (*tutelary spirit*)
genou *m.* knee

177

VOCABULAIRE

gens *m. pl.* people; jeunes —,
young men, young people
gentil, –ille nice, gentle
Georges George
geste *m.* gesture
gesticuler to gesticulate
gigantesque gigantic, huge
gigolpince *m.* dandy, dude
(*slang*)
gilet *m.* vest
girouette *f.* weathercock
glabre smooth-shaven
glace *f.* (plate) glass, (looking)
glass, mirror
glacé, –e glazed
glacial, –e icy, frigid
glisser to slip, slide; se —, to
creep, steal, slip
glorieux, –euse glorious
gobelet *m.* goblet, cup
gonflé, –e swollen, distended
gonfler to inflate, pump up,
swell; se —, to swell
gorge *f.* throat
gorgée *f.* mouthful, draught
gosse *m. and f.* youngster, kid
goupillon *m.* sprinkler (*for holy
water*)
gourmandise *f.* greediness
goût *m.* taste
goutte *f.* drop, splash, small
quantity, brandy, "nip" (*of
brandy*), bead (*of perspiration*)
gouverner to manage
grâce *f.* grace, charm
grain *m.* grain; — de beauté
mole, beauty spot
grand, –e great, tall, large, big,
grand, chief, grown up
grand'chose *m.* much
grandir to grow (up), increase
grand'mère *f.* grandmother
grand'peine *f.* great pain, difficulty
grand'rue *f.* main street

grange *f.* barn
gras, grasse fat
gratter to scratch
grave grave, solemn, important
gravité *f.* gravity
gré *m.* will; contre mon —,
unwillingly
grec, grecque Greek
Grenoble *city in the department
of Isère 395 miles southeast of
Paris*
grimper to climb (up), haul up
(*pop.*)
grippe *f.* influenza
grippé, –e suffering from influenza, "influenza'd"
gris, –e gray
grisonner to grow gray
grogner to grunt, growl,
grumble
grognonner to grumble
gronder to scold
gros, grosse big, large, great,
thick, heavy, coarse; — temps
rough weather; en —, whole-
sale
grossir to enlarge, grow bigger
grouper to group
guère hardly; ne . . . —,
hardly, scarcely
guéridon *m.* round table
guérison *f.* recovery
guerrier *m.* warrior
guetter to be on the lookout for
gueule *f.* mouth; faire une —,
to make a wry face
guider to guide
guidon *m.* handle bar
guigne *f.* bad luck, tough luck,
unluckiness (*pop.*)
guise *f.* manner; en — de by
way of; à ma —, as I like
guitare *f.* guitar
gymnastique gymnastic; pas
de —, on the run

178

H

(Aspirate **h** *is indicated by* ')

'ha *int.* ha! ah!

habilement cleverly

habillé, –e dressed

habiller to dress; s'—, to dress

habit *m.* dress; en —, in evening dress

habitant *m.* inhabitant, resident

habiter to inhabit, live in, occupy, live

habitude *f.* habit, custom; d'—, usually; avoir l'— (de) to be accustomed (to); prendre l'— (de) to get accustomed (to)

habitué *m.* habitué, frequenter

habituel, –elle usual, customary

habituer to accustom; s'—, to get accustomed

'haine *f.* hatred

'halètement *m.* panting

'hanap *m.* goblet

'hanche *f.* hip

'hanter to haunt, frequent

'harem *m.* harem

'hasard *m.* chance; par —, by chance, accidentally

'hâte *f.* haste, hurry

'hâter to hasten

hausser to raise, lift; — les épaules to shrug

'haut, –e high, tall, loud; à haute voix aloud

'haut *m.* height, top; en —, above

'hé *int.* hey! hello!

'hein eh? what?

hélas alas!

hélicoïdal, –e helicoidal, spiral

herbage *m.* meadow, pasture

herbe *f.* grass, plant; mauvaise —, weed; male —, weed

héritage *m.* inheritance, estate

hériter to inherit, succeed to the estate

héritier *m.* heir

hésiter to hesitate

hétéroclite odd, unusual

heure *f.* hour, time; neuf heures nine o'clock; tout à l'—, a little while ago

heureusement happily, luckily

heureux, –euse happy, glad, lucky

'hibou *m.* owl

hier yesterday; — soir last night

histoire *f.* history, story; — de rire just for the fun of it

hiver *m.* winter; on était en —, it was winter

'hocher to shake, toss; — (de) la tête to shake one's head

hommage *m.* homage

homme *m.* man

honneur *m.* honor

honorable honorable, respectable

honorer to honor; votre honorée du your favor of the

'honte *f.* shame; avoir — de to be ashamed of

hôpital *m.* hospital, asylum; à l'—! to the asylum with him!

horloge *f.* clock

hormone *f.* hormone

horreur *f.* horror

'hors (de) out of, outside; être — de soi to be beside oneself; la mettre — d'elle to drive her out of her wits

'horzain *m.* "furiner" (*dial. for* foreigner)

hospice *m.* asylum, poorhouse

hôtel *m.* hotel

'huer to boo

humeur *f.* humor, mood, temper; **mauvaise** —, ill humor, anger

'hurler to howl, roar

I

ici here

idéal *m.* ideal

idée *f.* idea

identité *f.* identity

ignorer to be ignorant of, not to know

illico (*Lat.*) then and there

image *f.* picture, image

imagination *f.* imagination; *pl.* fancies

imaginer to imagine; **s'**—, to imagine oneself

imbécile *m. and f.* idiot, fool

immangeable uneatable

immédiat, −e immediate

immédiatement immediately

immeuble *m.* house, premises, building, realty

immobile motionless, immovable, firm

immobiliser (s') to stop

impassible impassive

impératrice *f.* empress; **à l'**—, empress style

impérieux, −euse imperious, imperative, pressing

importer to be of importance; **n'importe** no matter, never mind

imposer to impose, set

impôt *m.* tax

imprécation *f.* curse

imprimer to print

impuissance *f.* impotence, powerlessness

inaccoutumé, −e unaccustomed

inadvertance *f.* inadvertency

incarcération *f.* imprisonment, incarceration

incendie *m.* fire

incinérer to burn to ashes

incommoder to inconvenience, disturb

inconnu, −e unknown

inconscience *f.* unconsciousness, ignorance, obliviousness

incorporer to incorporate, fuse

incrédulité *f.* incredulity

incroyable incredible, unbelievable

indélicat, −e indelicate, unscrupulous

indicible inexpressible

indigne unworthy

indiquer to indicate, show

individu *m.* individual

inespéré, −e unhoped for

inférieur, −e inferior, lower; — à inferior to, less than

infini, −e infinite

informé *m.* inquiry, investigation; **jusqu'à plus ample** —, until further inquiry

informer to inform; **s'**—, to inquire

ingénieux, −euse clever, ingenious

ingrat, −e ungrateful, unpleasing

inimitié *f.* enmity

injure *f.* insult

injuste unjust, unfair

innombrable innumerable

innommable unspeakable, disgusting

inoffensif, −ive inoffensive

inonder to inundate, flood

inquiet, −ète restless, anxious

inquiéter to disquiet, disturb, worry; **s'**—, to get uneasy, get anxious, worry

inquiétude *f.* anxiety, uneasiness

insatisfait, −e dissatisfied

inscrire (s') to enter one's name

insister to insist

inspecter to inspect

inspecteur *m.* inspector, detective

installer to install, place; s'—, to settle down; s'— dans to get into

instituteur *m.*, institutrice *f.* (school) teacher

insulter to insult

intensif, –ive intensive

interdire to forbid

intéressant, –e interesting

intéresser (s') to take an interest (à in)

intérêt *m.* interest

intérieur *m.* interior, inside; à l'—, on the inside

interroger to interrogate, question

interrompre (s') to break off

interstice *m.* interstice, chink, opening

intervalle *m.* interval, space

interviewer to interview

intime intimate

introduire to introduce, put in, bring in, admit; se faire —, to have oneself ushered in

inutile useless, unnecessary

invectiver to revile

inviolable inviolable, sacred

invité *m.*, invitée *f.* guest

inviter to invite

ironique ironical

irriter to irritate

irruption *f.* irruption; faire — dans to burst into

Isle-Adam *town in the department of Seine-et-Oise some 20 miles to the north of Paris*

isoler to isolate

issue *f.* issue, outlet

ivresse *f.* intoxication, rapture

J

jadis formerly, once

jaloux, –ouse jealous

jamais never, ever; ne ... —, never

jambe *f.* leg

jante *f.* rim (*of wheel*)

japonais, –e Japanese

jardin *m.* garden

jardinière *f.* flower stand

jaune yellow

jaunir to turn yellow

jeter to throw, cast, throw away; se —, to fling oneself, jump; se — dans to launch into

jeu *m.* play, game, sport

jeune young; les —s young people, youth

jeunesse *f.* youth

jeunet, –ette very young

joie *f.* joy, delight; feu de —, bonfire; tout à la —, wholly absorbed in the joy

joindre to join, add

joli, –e pretty

joliment prettily, nicely

jonc *m.* rush

joue *f.* cheek

jouer to play, perform, gamble; faire —, to work

jouet *m.* toy, plaything

jour *m.* day, light; un —, some day; un beau —, one fine day; tous les —s every day; huit —s a week; de nos —s nowadays; prendre — sur to open on

journal *m.* newspaper

journaliste *m.* journalist, reporter

journée *f.* day, daytime

joyeux, –euse merry, joyous

juger to judge, think, imagine

juin *m.* June

Junot: avenue —, *street in Montmartre running into the rue Caulaincourt*

Jura *department in eastern France near the Swiss border*

jurer to swear

jusque, jusqu'à as far as, up to, until, even; **jusqu'à ce que** until

juste just, right, exact

justement precisely, exactly, just

K

kilométrique kilometric; **borne** —, kilometer stone

L

là there; **en être** —, to be at that point

laborieux, –euse toilsome, hard-working, diligent

là-dedans in there, within, in that

laid, –e ugly

laisser to let, allow, leave; **le** — **faire** to let it be done; **cette faculté ne laissa pas de le contrarier** this faculty did not fail to vex him; **se** —, to permit oneself

lait *m.* milk; **carnet du** —, milk record book

Lalique (René) *famous French enameler and goldsmith*

lamenter to lament, bewail

lampe *f.* lamp

lancer (se) to rush, launch out

langage *m.* language, speech

langue *f.* tongue

lanière *f.* thong

laps *m.* space (of time)

larcin *m.* larceny

large broad, large, big

larme *f.* tear

las, lasse tired, weary

lasser to tire, weary

latte *f.* lath

laver to wash; **se** —, to wash (oneself); **se** — **les dents** to wash one's teeth

lecture *f.* reading

léger, –ère light, slight

légèrement lightly, slightly

légèreté *f.* levity

légitime legitimate, justifiable

légume *m.* vegetable

lendemain *m.* next day; **le** — **matin** the next morning; **le** — **même** the very next day

lentement slowly

Lepic: rue —, *street in Montmartre*

lequel, laquelle, lesquels, lesquelles who, whom, which one(s)

lettre *f.* letter

levé, –e up, out of bed

lever to raise, lift (up); **se** —, to stand up, get up, rise

lèvre *f.* lip

liasse *f.* bundle (*of letters*)

liberté *f.* liberty, freedom

libre free

librement freely

lieu *m.* place; **avoir** —, to take place; **au** — **de** instead of; **au** — **que** whereas

ligne *f.* line

limite *f.* boundary, limit

linge *m.* linen, cloth

liquide liquid; **argent** — cash

lire to read

liste *f.* list

lit *m.* bed; **au** —, in bed; — **à deux places** double bed

literie *f.* bedding

litre *m.* liter; — **à vin** liter wine bottle

lividité *f.* lividness, ghastliness

livre *f.* pound

livre *m.* book

livrer to deliver; se —, to give oneself up, indulge in (à)

local *m.* premises, building

location *f.* renting

logement *m.* lodging, apartment

loger to lodge, place, put, fix

loi *f.* law

loin far, distant, far away; de —, from afar, far from; au —, in the distance; de — en —, at long intervals

loisir *m.* leisure

long, longue long; à la longue in the long run, in the course of time

long *m.* length; tout au —, all along; étendu tout de son —, stretched out full length

longtemps a long time, long; il y a —, it's been a long time

longuement for a long time

lorgnon *m.* eyeglasses, pince-nez

lors then; dès —, ever since

lorsque when

lot *m.* lot, prize; le gros —, the grand prize

loterie *f.* lottery

louer to rent, hire; à —, for rent

louis *m.* louis (*a twenty-franc piece*)

loup *m.* wolf

lourd, -e heavy, clumsy

lourdement heavily

lucidité *f.* lucidity, clearness

lumière *f.* light

lunetté d'écaille wearing tortoise-shell rimmed eyeglasses

lunettes *f. pl.* eyeglasses, spectacles; — en écaille eyeglasses with tortoise-shell rims

lutte *f.* struggle, strife

M

M. *abbr. for* Monsieur

machin *m.* gadget, thingumajig

machinal, -e mechanical

machinalement mechanically

maçon *m.* mason

maçonnerie *f.* masonry

madame *f.* Mrs., Madam

Madeleine *f. large church in Paris*

magasin *m.* store, shop, department store

magnifique magnificent, splendid

mai *m.* May

maigre thin, lean

maigrir to grow thin

maillot *m.* jersey, sweat shirt; Porte Maillot *see under* porte

main *f.* hand; en —, à la —, in hand; en un tour de —, in a twinkling; mettre la — dessus to lay hands on it; se faire la — sur to try out one's hand on (*i.e., to practice stealing*)

main-d'œuvre *f.* manual labor

maint, -e many (a)

maintenant now

maire *m.* mayor

mairie *f.* town hall, city hall

mais but; — oui why certainly; — non why no, not at all

maison *f.* house, firm, shop, home; — de santé insane asylum

maître *m.*, maîtresse *f.* master, mistress, teacher

majeur, -e greater; être —, to be of age

majorité *f.* majority

mal *m.* evil, harm, ailment, pain, trouble, inconvenience; — de tête headache; il a — à la

main his hand hurts; **il a pris du mal** he has taken sick; **faire (du) mal à** to hurt

mal *adv.* badly, ill, not right, uncomfortable; **pas — de** not a little

mal, –e *adj.* bad; **—e herbe** weed

malade ill, sick; *m.* patient, invalid

maladie *f.* illness, sickness

maladresse *f.* clumsiness, awkwardness

malgré in spite of

malheur *m.* misfortune, unlucky accident, bad luck

malheureusement unfortunately, unluckily

malheureux, –euse unhappy, unfortunate

malin, –igne shrewd

malle *f.* trunk

malpropre dirty, untidy

maman *f.* mamma

manche *f.* sleeve

manger to eat, squander; **salle à —,** dining room

manie *f.* mania

manière *f.* manner, way

manifester to manifest; **se —,** to appear

manquer to fail, miss, lack, be wanting; **il n'y manqua pas** he didn't fail to do so; **tu me manquais** I missed you; **il lui manquait un but** he lacked a goal; **cette boîte ne nous manquera pas** we shall not miss that box

manteau *m.* cloak, mantle, overcoat

maquiller to make up, fake

marc *m.* mark

marchand *m.* dealer, merchant; **— de vins** wine dealer

marchander to bargain for, haggle

marche *f.* step, stair

marché *m.* market; **par-dessus le —,** into the bargain

marcher to walk, go

maréchaussée *f.* constabulary

Marengo *town in northern Italy, scene of victory of Napoleon over Austrians;* **veau —,** veal *sautéed with mushrooms in butter and oil and served on toast*

Marguerite Margaret (*heroine of Gounod's and Goethe's "Faust"*)

mari *m.* husband

mariage *m.* marriage, wedding

marié *m.,* **mariée** *f.* married (person); **la mariée** the bride

marier to marry; **se —,** to get married, marry

marmite *f.* pot, saucepan

marque *f.* mark, make, stamp, trademark

marquer to mark, note

marquise *f.* marchioness

Marseille Marseilles (*city on the Mediterranean 540 miles southeast of Paris*)

Martiniquais, –e *inhabitant of the Island of Martinique, a French possession in the West Indies*

masse *f.* mass, capital, total, principal

masser to massage

massif, –ive massive, solid, weighty

mastroquet *m.* bar, café

mât *m.* mast

matériaux *m. pl.* materials, material

matière *f.* material, matter, substance

matin *m.* morning; **au —,** in the morning

matinal, –e morning

mauvais, –e bad, evil, wicked;
—e herbe weed
méchant, –e bad, mean, wicked,
evil, spiteful
méconnaître to fail to recognize, disregard, misappreciate
mécontent, –e dissatisfied, dis-
pleased
mécontenter to displease
médecin *m.* doctor, physician
médicament *m.* medicament,
medicine
méditer to meditate, muse
meilleur, –e better; le —, the
better, the best
mélancolique melancholy
mélange *m.* mixture, blend
mélèze *m.* larch, larch wood
melon *m.* melon; chapeau —,
derby
membre *m.* member
même same, very, even, self,
itself, himself, *etc.;* en —
temps at the same time; tout
de —, all the same
mémoire *f.* memory, recollection; pour —, as a reminder
menace *f.* threat, menace
menacer to threaten
ménage *m.* housekeeping, family; jeune —, young married
couple; affaires de —, household affairs
ménager to save, arrange; —
son cœur to be careful of
one's heart
ménagerie *f.* menagerie
mendier to beg
mener to lead, take
menottes *f. pl.* handcuffs
mensonge *m.* lie
mentir to lie
menton *m.* chin
menu, –e small, tiny, trifling,
petty

menu *m.* bill of fare, menu
merci thanks, thank you
mère *f.* mother
merveille *f.* marvel; à —,
excellently
merveilleux, –euse marvelous,
wonderful
messieurs *m. pl.* gentlemen,
Messrs.
mesure *f.* measure; à — que
(in proportion) as
métamorphose *f.* metamorpho-
sis, transformation
métier *m.* trade, profession, craft
mètre *m.* meter (*3.28 feet*)
mettre to put, lay, place, put
on, set, invest; — à mort to
kill; — au pain sec to put on
bread and water; se —, to
put oneself, go; se — au lit
to go to bed; se — à to begin;
mettez-vous là sit there; se —
un peu aux cols des Alpes
to start on (attack) the passes
of the Alps
meuble *m.* piece of furniture
meubler (se) to furnish one's
home
mi half
micher (se) disguise oneself
(*slang*)
midi *m.* midday, noon
mieux better; faire de son —,
to do one's best; bien —,
better still
migraine *f.* sick headache
milieu *m.* middle, circle; au —,
in the middle
militairement in military style
mille thousand
millier *m.* (about) a thousand
mince thin
mine *f.* appearance, look; faire
bonne —, to be pleasant
ministère *m.* ministry; — de

l'Enregistrement Bureau of Records (*there is no such ministry in the French government*)

ministre *m.* minister

minute *f.* minute; à la —, just this minute

minutieusement thoroughly

miroir *m.* mirror

mise *f.* placing, investment, dress, attire

miser to stake, bet

misère *f.* misery, trouble, poverty; faire des —s à to plague

mi-voix: à —, in an undertone

mixte mixed

Mme Madame, Mrs.

mobile movable

mobilier *m.* furniture

mode *f.* fashion

moderne modern; en —, in modern style

modeste modest, unassuming

moelleux, –euse soft

moellon *m.* quarrystone

moindre less, least, smallest; c'est la — des choses that's the least we can do

moins less, least, not so; du —, at least, at all events; au —, at least

mois *m.* month

moisissure *f.* moldiness, mustiness

moitié *f.* half; à —, half

molesquine *f.* imitation leather

mollement softly, indolently

moment *m.* moment; au — de at the time of; à ce —-là at that time

monde *m.* world, people; tout le —, everybody; recevoir du —, to receive company

monnaie *f.* money, coin, change

monsieur *m.* Mr., sir, gentleman

monstrueux, –euse monstrous

montagne *f.* mountain

montant *m.* upright (*of a window*)

montée *f.* rise, ascent, climb

monter mount, ascend, climb (up), go upstairs, climb into, rise, go up, get in, set; les faire — en voiture to put them in the car

Montmartre *old quarter of Paris on the right bank of the Seine famous for its literary and artistic associations and for its night life*

Montparnasse *section of Paris on the left bank of the Seine, the haunt of artists and writers, and famous for its cafés and night clubs*

montre *f.* watch; à sa —, by his (her) watch

montrer to show

monture *f.* setting

moquer (se) to make fun of (de)

morceau *m.* piece, bit

mordre to bite

mort, –e dead, dead person, deceased

mort *f.* death; mettre à —, to kill, put to death; à —! death to! kill!

mortifier to mortify

Moscou Moscow

mot *m.* word

motocyclette *f.* motorcycle

mou (mol), molle soft, weak, flabby

mouche *f.* fly

mouchoir *m.* handkerchief

mouillé, –e moist, wet

mouiller to wet, moisten

moule *f.* mussel; (*colloq.*) simpleton, chump

mourir to die

mousquetaire *m.* musketeer; « Les Trois —s » "The Three Musketeers" (*novel by Alexandre Dumas père*)

mousse *f.* moss, lather, down

mouton *m.* sheep, mutton

mouvement *m.* movement; en —, moving

mouvementé, –e lively

mouvoir (se) to move

moyen *m.* means, way; il n'y a pas —, it is impossible; nos petits —s our slender means

municipalité *f.* municipality

munir to furnish, equip; se —, to equip oneself

mur *m.* wall

muraille *f.* (thick, high) wall

murer to wall up

mûrir to ripen, elaborate

murmurer to murmur

musée *m.* museum

musique *f.* music, band

mystère *m.* mystery

N

naïf, naïve naïve, ingenuous

naissance *f.* birth

naître to be born, rise

Nantes *city on the Loire 248 miles southwest of Paris*

Narbonne *city in the department of Aude in the south of France*

narguer to flout, defy

nationalité *f.* nationality

naturel, –elle natural

naturellement naturally

né, –e (*pp. of* naître) born

néanmoins nevertheless, for all that

néant *m.* nought, nil, nothing, nothingness

négliger to neglect

négociant *m.* merchant

neige *f.* snow

neiger to snow

nerveux, –euse high-strung, nervous

nettement clearly

nettoyer to clean

neuf, neuve new; tout —, brand-new

nez *m.* nose; — à —, face to face

ni nor, or; ni . . . ni neither . . . nor

nièce *f.* niece

nigaud *m.* simpleton, booby

noce *f.* wedding; voyage de —s honeymoon trip

noctambule *m.* night prowler, nightwalker

Noël *m.* Christmas

nœud *m.* knot, bow

noir, –e black, dark; *m.* Negro, black man

noircir to become black, blacken

noisetier *m.* hazel tree

nom *m.* name

nombre *m.* number

nombreux, –euse numerous

nommé *m.* (a) man named

nommer to name, call; se —, to be called, be named

non no, not; — plus either, neither

nonobstant notwithstanding

Normandie *f.* Normandy (*former province in northwestern France*)

Norvins: rue —, *street in Montmartre running into the avenue Junot*

nostalgie *f.* nostalgia

notamment more particularly, especially

noter to note

nouer to tie, knot

nourrir to nourish, feed

nouveau (nouvel), nouvelle new, another, a new kind (*after the noun*); du —, something new; de —, again; à —, anew, again

nouvelle *f.* (piece of) news

novembre *m.* November; on était en —, it was November

noyé, –e drowned, submerged, covered

noyer *m.* walnut tree

noyer (se) to be drowned

nu, –e bare

nuage *m.* cloud

nuance *f.* shade

nuée *f.* cloud

nues *f. pl.* skies; tomber des —, to be thunderstruck

nuit *f.* night, dark; cette —, tonight; — tombante nightfall; il faisait encore —, it was still dark; ne pas dormir de la —, not to sleep all night

numéro *m.* number

nuque *f.* nape of the neck

O

ô *int.* O! oh!

obéir to obey

obéissance *f.* obedience

obéissant, –e obedient, dutiful

objecter to object

objet *m.* object, thing

obligé, –e obliged, compelled

obliger to oblige, compel, bind

obscur, –e dark, obscure

obscurité *f.* obscurity

obstination *f.* obstinacy

obtempérer to obey, give heed

obtenir to obtain, get

occasion *f.* opportunity, occasion; à l'—, upon the occasion

occupé, –e busy

occuper to occupy; s'—, to be busy, occupy oneself, look after, attend to (de)

octobre *m.* October

odeur *f.* odor, smell

odieux, –euse odious, hateful

œil (*pl.* yeux) *m.* eye; coup d'—, glance; à vue d'—, visibly; avoir l'—, to be observant, watchful; voir de très mauvais —, to view very unfavorably

œuf *m.* egg

œuvre *f.* work

offenser to offend

offrande *f.* offering

offrir to offer, present

ogive *f.* ogive, pointed arch; en —, ogival, pointed

oisif *m.* idler

ombre *f.* shadow, darkness

ombreux, –euse dark

on (l'on) one, people, they, we, *etc.*

opposer to oppose, object to

opulent, –e opulent, rich

or *m.* gold; en —, of gold

Orchampt: rue d'—, *street in Montmartre running from rue Ravignan to rue Lepic*

ordinaire ordinary; d'—, usually

ordre *m.* order; faire un peu d'—, to preserve order a little

oreille *f.* ear

oreiller *m.* pillow

organiser to organize, arrange

orgueil *m.* pride

orgueilleux, –euse proud

original, –e original, odd, eccentric; *s.* eccentric (person)

Orléans *city on the Loire River 75 miles south of Paris*

orner to ornament, adorn, decorate

oser to dare, venture

osier *m.* willow

ôter to remove, take away

ou or

où where, when, in which, at which; — ça? where is it?

oublier to forget, neglect

ourlet *m.* hem

ouste *int.* away with you! off you go!

outil *m.* tool

outre beyond; en —, besides; — que besides, in addition to the fact that

outré, –e beside oneself, infuriated

outre-tombe (d') from beyond the grave, posthumous

ouvert, –e open

ouvertement openly, frankly

ouvrage *m.* work, job, piece of work (*sometimes used as a feminine noun by uneducated people, as in* Une mauvaise farce)

ouvrir to open; s'—, to open

P

pailleté, –e spangled

paillette *f.* spangle, flake

pain *m.* bread, loaf

paire *f.* pair

paisible peaceful, quiet; une vie des plus —s a most peaceful life

paix *f.* peace; rue de la Paix *a street in Paris famous for its luxurious shops*

pâle pale

palier *m.* landing (*of stairs*); pédalant en —, pedaling on a level stretch

palme *f.* palm; —s académiques academic palms

(*academic decoration given by French government for distinction in literature, art, or science*)

panier *m.* basket

panne *f.* breakdown, holdup; se trouver en —, to have a breakdown, be stuck

panneau *m.* panel

pansement *m.* dressing (*of a wound*)

pantalon *m.* trousers, drawers

papier *m.* paper; —s d'identité identification papers

Pâques *m.* Easter

paquet *m.* parcel, package, burden; faire le —, to wrap the package

par by, through, in, per

paradis *m.* paradise

paraître to appear, seem, look, appear to be

paraphe *m.* paraph, flourish (*after signature*)

parapluie *m.* umbrella

paravent *m.* screen

parc *m.* park, grounds (*of an estate*)

parce que because

parcourir traverse, go through, wander through, scour; — des yeux to glance through

par-dessus over; — le marché into the bargain

pardonner to pardon, forgive

pareil, –eille like, alike, similar, identical, such

parent *m.* relative; *pl.* parents

parfait, –e perfect; c'est —! excellent!

parfaitement perfectly, thoroughly, certainly, quite so

parfois sometimes, at times

parisien, –enne Parisian

parler to speak, talk

parmi among, amid

paroi *f.* partition wall, coating

parole *f.* word, remark, delivery; **avoir la — brève** to be curt in speech

part *f.* share, portion, part; **à —,** apart, except; **d'une —,** on the one hand; **d'autre —,** on the other hand

partager to divide, share; **se —,** to share

partenaire *m.* partner

parti *m.* party; **un bon —,** a good match; **prendre son —,** to resign oneself to one's fate

participer to participate, have a share (**à** in)

particulier *m.* private person

particulièrement particularly

partie *f.* part, game, match

partir to depart, leave, go away, proceed

partout everywhere, on all sides

parvenir to arrive, succeed

pas *m.* step, pace, stride

pas not, no; **ne . . . —,** not, no

passage *m.* passage; **de — à** passing through

passé *m.* past

passe-muraille *m.* man who walked through walls

passeport *m.* passport

passer to pass, go past, go, disappear, spend, hand, put, put on; **en passant** by the way, in passing; **— à travers** to walk through; **— devant** to pass by; **— pour** to be considered; **— à l'eau de Cologne** to perfume with Cologne water; **se —,** to happen, pass, be passed; **se — de** to do without

pastille *f.* lozenge; **— à l'eucalyptus pour la toux** eucalyptus cough drop

pâte *f.* dough, paste

pâtée *f.* mash

paternellement paternally

pâteux, –euse pasty, thick

patte *f.* paw, foot

Pau *city in southwestern France, department of Basses-Pyrénées*

paupière *f.* eyelid

pauvre poor; *m.* poor person, pauper

pauvreté *f.* poverty

pavé *m.* pavement

payer to pay, pay for; **il se paye notre tête** he's pulling our leg (kidding us)

pays *m.* country, land, region, district

paysage *m.* landscape, scenery

paysan *m.* peasant

peau *f.* skin, hide, leather

pêcher *m.* peach tree

pédale *f.* pedal

pédaler to pedal

pédalier *m.* crank gear, pedal gear (*of a bicycle*)

peigner to comb

peindre to paint

peine *f.* pain, suffering, sorrow, trouble, difficulty; **à —,** hardly, scarcely; **faire de la —,** to vex, grieve; **ce n'est plus la —,** it's no longer worth while; **avoir de la — pour** to feel sorry for; **être en — de** to be at a loss to

peiner to pain, vex, distress

peintre *m.* painter

peinture *f.* paint, painting

peloton *m.* squad, group

pelouse *f.* lawn

pencher to bend, lean; **se —,** to bend, lean

pendant during, for; **— que** while

pendre to hang

pendule *f.* clock; — **Empire** Empire-style clock

pénétrer to penetrate, enter

penser to think; — **à** to think of; — **de** to think of (have an opinion of)

pensum *m.* task, punishment work

pente *f.* slope, incline

perdre to lose

perdu, -e lost; **balle —e** stray shot

père *m.* father; **le — Alcor** old man Alcor, papa Alcor

perfection *f.* perfection; **à la —,** perfectly

perle *f.* pearl

permettre to permit, allow

Perpignan *city in the department of Pyrénées-Orientales 563 miles south of Paris*

perron *m.* steps (*outside the house*)

Perse *f.* Persia

persienne *f.* Venetian blind

personne *f.* person, body; **en —,** in person, personally

personne *pro.* no one, nobody, anyone

personnel, -elle personal

personnel *m.* personnel, staff

pervenche *f.* periwinkle (*trailing evergreen plant with blue flowers*)

pesant, -e heavy, burdensome

petit, -e small, little; *s.* little one, child, youngster

petite-fille *f.* granddaughter

petit-fils *m.* grandson

peu *adv. and s.* little, few, bit; — **de chose** little, not much; — **à —,** gradually; **un tout petit —,** just a little bit

peuple *m.* people, the masses

peuplier *m.* poplar

peur *f.* fear; **avoir —,** to be afraid; **faire — à** to frighten

peut-être perhaps, possibly; — **bien** well perhaps

phobie *f.* phobia

photo(graphie) *f.* photograph, photo, picture

phrase *f.* sentence, phrase

physionomie *f.* physiognomy, face

pièce *f.* piece, bit, room

pied *m.* foot, leg (*of a chair*); **à —,** on foot; **coup de —,** kick

pierre *f.* stone

pieu *m.* stake, post

pincé, -e pursed; **la bouche —e** tight-lipped

pincer to pinch; **se faire —,** to get "pinched" (*colloq.*)

pion *m.* teacher in charge of a study hall, proctor

piper to peep

piquer to sting; — **dans son réséda** to steal his little flower, poach on his preserve

piqûre *f.* prick

pire worse, worst

pirette *f.* mixture of rice flour and centaur hormone (*author's comic definition*)

pitié *f.* pity; **par —,** out of pity

pivoine *f.* peony

placard *m.* (wall) cupboard

place *f.* place, seat, room, square; **faire — à** to give way to, make room for; **faire un peu de —,** to give a little room

placement *m.* investment

placer to place, put; **se —,** to take one's place

plaindre to pity; **se —,** to complain

plainte *f.* complaint, moan, wailing

plaire to please; **tu me plais** I like you

plaisanter to joke, jest

plaisanterie f. joke, jest, joking; faire des —s to crack jokes, utter jibes; faire des —s à to play jokes on

plaisir m. pleasure, delight, amusement

planche f. board, shelf

plancher m. floor

plante f. plant

planter to plant, set, fix, drive (a nail)

plaque f. slab, plaque

plat, –e flat; rouler à —, to ride on a flat tire

plat m. dish, plate

plateau m. tray

platitude f. platitude, dullness

plein, –e full, filled

pleurer to weep, cry

pleuvoir to rain

plier to bend, submit; se —, to submit

plisser to crease; — les yeux to squint

plonger to plunge

plume f. pen

plumier m. eider-down quilt

plupart f. most, greater part

plus more, most; ne ... —, no longer, no more; non —, either, neither, no longer; — loin farther; de —, more, besides; de — en —, more and more; — ... —, the more ... the more

plusieurs several

plutôt rather

pneumatique m. special delivery letter (sent by pneumatic tube)

poche f. pocket

poids m. weight

poignée f. handle

poil m. hair

poing m. fist

point m. point, degree; à —, to a turn

point adv. not (at all), not, no; ne ... —, not (at all)

pointu, –e pointed, sharp

poire f. pear

poireau m. leek

Poitou m. former province in western France

poitrine f. breast, chest

poli, –e polite

police f. police

Poligny town in the department of Jura near Swiss border

poliment politely

politesse f. politeness

politique f. politics

pomme f. apple

pompe f. pump; — à bicyclette bicycle pump

pomper to pump; machine à —, pumping engine

ponctuél, –elle punctual

ponctuer to punctuate

Pont-sur-Soule imaginary town (suggested by the Soule River in the department of La Manche, Normandy)

ponter to bet, lay a bet

popularité f. popularity

porcelaine f. porcelain

porte f. door, gate; — d'entrée front door; Porte Maillot one of the principal outlets from Paris to the northwest, at the end of the Avenue de la Grande Armée

portée f. reach, range, scope; à une — de fusil within gunshot

portefeuille m. portfolio, pocketbook

porte-plume m. penholder, pen

porter, to carry, bear, support, wear, incline, bring, lead;

tout porte à croire everything leads to the belief
porteur *m.* bearer
porto *m.* port (wine)
portrait *m.* portrait, picture
poser to place, put, lay (down);
se —, to settle, fix
posséder to possess, own, be in
possession of
postal, –e postal
poste *m.* post; — de garde
guard; — de T.S.F. radio
pot *m.* pot, jug, can, jar; — à
eau water pitcher; — à lait
milk can; sourd comme un
—, deaf as a post
potage *m.* soup
potelé, –e plump and dimpled
pouce *m.* thumb
poudre *f.* powder
poudrer to powder
poule *f.* hen
poulie *f.* pulley
pour for, (in order) to; — que
in order that
pourboire *m.* tip
pourquoi why?
pourtant however, nevertheless
pousser to push, push open,
push to, shove, impel, advance, utter, grow; se —,
to move; carrière un peu
poussée well-rounded career
poussière *f.* dust
pouvoir to be able, can, may;
n'en plus —, to be exhausted
pouvoir *m.* power
pratique practical, useful
pré *m.* meadow
précaution *f.* precaution, cau-
tion, care
précédent, –e preceding; *m.*
precedent
précipité, –e hasty
précipiter (se) to dash, rush

précis, –e precise, exact
précision *f.* precision, exactness
prédire to predict, foretell
préfecture *f.* prefecture (*resi-
dence of a prefect and his admin-
istrative division corresponding
to a department*); Préfecture
(de police) Police Department
préférer to prefer
premier, –ère first; — étage
second floor
prendre to take, take up, seize,
assume, catch, capture; s'y
—, to go about it; — une
résolution to make up one's
mind; pris les uns dans les
autres stuck together
préoccuper (se) to be pre-
occupied
préparatifs *m. pl.* preparations
préparer to prepare
près (de) near, close to; à peu
—, nearly, about
prescrire to prescribe
présence *f.* presence
présent, –e present; à —, now
présentable presentable
présenter to introduce
presque almost, nearly
pressentiment *m.* presentiment
presser to press; se —, to press,
crowd
prestigieux, –euse marvelous
prétendre to claim, assert, aspire
prêter to lend; — attention
to pay attention
prétexte *m.* pretext, excuse
preuve *f.* proof, evidence
prévenant, –e kind, attentive
prévenir to anticipate, warn,
inform
prévoir to foresee
prier to pray, ask, beg
prière *f.* prayer

primevère *f.* primrose

primo (*Lat.*) first, in the first place

princier, –ère princely, of a prince, like a prince, like a princess

printemps *m.* spring

pris, –e caught; *see* prendre

prison *f.* prison, imprisonment

prisonnier *m.* prisoner

prix *m.* price, cost; à tout —, at all costs

probablement probably

procéder to proceed

prochain, –e next, near

procurer (se) to procure

proférer to utter

professeur *m.* professor, teacher

profit *m.* advantage

profiter to profit by, take advantage of (de)

profond, –e deep, profound

profondément deeply, profoundly

programme *m.* program

proie *f.* prey; en — à a prey to

projet *m.* project, plan

projeter to throw

prolétariat *m.* proletariat

promenade *f.* walking, ride, drive, trip, walk

promener (se) to walk, go for a walk

promettre to promise

prononcer to pronounce, declare, deliver

propos *m.* remark, words

propre own, clean, proper; un — à rien a good-for-nothing

propriétaire *m. and f.* proprietor, landlord, landlady, owner

protéger to protect

prouver to prove

provenance *f.* source, origin

Provence *f. former province in southeastern France along the Mediterranean*

provenir to come, originate

province *f.* province; en —, in the provinces, outside of Paris

provision *f.* provision; s'en aller aux —s to go marketing

pseudonyme *m.* pseudonym

public, –ique public; *m.* public, people

publier to publish

puéril, –e childish

puis then, afterwards, besides

puisque since, as

puits *m.* well, hole

pur, –e pure

pyramide *f.* pyramid

Q

quand when; — même all the same

quant à as for

quantité *f.* quantity

quarante forty (*short for* 1940)

quart *m.* quarter

quartier *m.* quarter, district, neighborhood

que *rel. pro.* that, whom, which, what

que *interr.* what? why? how! — c'est mauvais! how bad it is!

que *conj.* that, when, than, as, since; c'est —, the fact is, it's because; ne ... —, only; (*before a subj.*) let; *often takes the place of a preceding conj., the meaning of which it then assumes*

quel, quelle what, which, what a!

quelque some, a few; — chose something

194

quelquefois sometimes

quelqu'un, –e someone, somebody; *pl.* some

quereller (se) to quarrel

qu'est-ce que what? **qu'est-ce que c'est que ça?** what's that?

questionner to question

quêter to seek

queue *f.* tail, end

qui *rel. pro.* who, that, which, he who; **ce —,** that which, what

qui *interr. pro.* who? whom? what?

quiétude *f.* quietude, quiet

quinaud, –e abashed

quinquagénaire *m.* quinquagenarian (*fifty year old man*), fifty-year-oldster

quitter to leave, quit

quoi what, what? how? **de —,** enough; (*exclam.*) what! I tell you! in short! **—?** well? what about it?

quoique although

quotidien, –enne daily

R

rabattre to lower, beat down; **se — sur** to turn to

rabougri, –e stunted

raccrocher to hang up again

racler to rake, thin out

raconter to tell, relate, say, talk about

radieux, –euse radiant

raide steep

raisin *m.* grape, grapes

raison *f.* reason; **avoir —,** to be right; **à — de** at the rate of

raisonnable reasonable

raisonnement *m.* reasoning

rajeunir to rejuvenate, grow young again; **se —,** to make oneself younger

ralentir to slacken

ramasser to collect, gather, pick up

ramener to bring back, pull; **— ses jambes à lui** to bring his legs up against his body

rampe *f.* balustrade

rang *m.* row

ranger to arrange, put away

râpé, –e threadbare

rapide rapid

rapidement rapidly, quickly

rappel *m.* recall, recalling

rappeler to recall, call back; **se —,** to recall, remember

rapport *m.* report, account; **— à ce que** because

rapporter to bring in, yield

rapprocher to bring closer, bring together; **se —,** to draw near (**de** to)

raser to shave; **se —,** to shave (oneself)

rassemblement *m.* gathering, crowd

rassembler to gather together, join

rassurer to reassure; **se —,** to feel reassured

rater to bungle, fail

rattraper (se) to catch up, make up for (it)

ravi, –e delighted

ravir to ravish; **à —,** bewitchingly

ravissant, –e delightful, lovely

rayer to scratch

rayon *m.* spoke

rayonner to beam

réagir to react

réaliser to effect, realize; **se —,** to come true, be realized

réalité *f.* reality; **en —,** in fact

recéler to conceal
récepteur *m.* receiver
réception *f.* welcome, reception, at home
recevoir to receive, accept
réchauffer to warm up
recherche *f.* search; à la — de in search of
rechercher to search for, seek; venir —, to come get
récit *m.* narration, account
réclamer to complain, beg for, call for, make demands
reclus, -e *m. and f.* recluse
recommencer to recommence, begin again, start afresh, do again, do it again, do over
récompenser to reward
reconduire to take back
reconnaissance *f.* gratitude
reconnaissant, -e grateful
reconnaître to recognize
reconter to retell
recréer to recreate
recta (*Lat.*) straightway, punctually
reculer to move back, postpone; se —, to draw back
redescendre to descend again
rédiger to draw up, draft, write
redingote *f.* frock coat
redouter to dread, fear
réduire to reduce; se —, to be reduced
réduit *m.* nook
refermer (se) to shut again
réfléchir to reflect; donner à —, to give food for thought
reflet *m.* reflection
refléter to reflect
réflexion *f.* reflection; à la —, upon reflection
réforme *f.* reform
refuge *m.* refuge, shelter
refuser to refuse

regagner to regain, get back to
régal *m.* feast, treat
regard *m.* look, glance, gaze
regarder to regard, look at, concern; ça me regarde that's my concern (job)
régime *m.* diet
région *f.* region
règle *f.* rule
régler to regulate, settle; — l'addition to pay the check; réglé, -e *p.p.* orderly
régner to reign, prevail
regret *m.* regret; à —, reluctantly
regretter to regret, miss
régulièrement regularly
rejoindre to rejoin, join; faire se —, to bring together
réjouir (se) to rejoice, be glad
relâche *m.* respite
relation *f.* relation, connection
reléguer to relegate
relever to raise, lift; se —, to rise to one's feet
remarier (se) to remarry
remarquer to remark, notice, observe; faire —, to point out
remédier (à) to remedy
remerciement *m.* thanks
remercier to thank (de for)
remettre to put back, hand (over), remit; se —, to recover
remonter to remount, go up (again), go back; se —, to recover one's strength
remontrance *f.* remonstrance
remords *m.* remorse
remplacer to replace
remplir to fill (up)
remporter to take back, win
remuer to move, stir
renard *m.* fox, fox fur
rencontre *f.* meeting; galoper

196

à la — de to go galloping to meet

rencontrer to meet

rendez-vous *m.* rendezvous, appointment

rendormir (se) to go to sleep again

rendre to give back, return, render, do, make; se —, to make one's way, go; se — compte de to realize

renfermé *m.* stuffiness; sentir le —, to smell stuffy

renommée *f.* renown, fame

renoncer (à) to renounce, give up

renouveler to renew; se —, to be renewed

rente *f.* annuity; — viagère, life annuity; *pl.* income

rentier, –ère person of independent means

rentrer to return (home); faire —, to put back in

renversé, –e upset, capsized

renverser to throw back

renvoyer to send away

répandre to pour out, spill

reparaître to reappear

repartir to set out again

repas *m.* meal

repasser to repass, come back, call again

repenser to think of again, think over

répéter to repeat; se —, to repeat oneself (itself), recur

répliquer to retort, reply

répondre to answer; on ne répond pas there is no answer

réponse *f.* answer, response, reply

reporter (se) to refer

repos *m.* rest, peace; en —, at rest

reposer (se) to rest, repose

repousser to reject, grow again

reprendre to take again, take back, resume, reply

représentant *m.* representative

représenter to represent; cela représente bien that makes a good showing

repriser to mend, darn

reproche *m.* reproach

reprocher to reproach

reproduire to reproduce

répulsion *f.* repulsion, aversion

réquisitionner to requisition

réséda *m.* mignonette (*flower, Reseda odorata*)

réserve *f.* reservation, reserve

réserver to reserve

résigné, –e resigned, meek

respectueusement respectfully

respectueux, –euse respectful

respirer to breathe

responsable responsible

ressembler to resemble

ressentir to feel, experience

ressort *m.* spring, strength, power

reste *m.* rest, remainder, residue, trace; au —, du —, besides

rester to remain, stay, to be left

restreint, –e restricted, limited

résultat *m.* result

résumer to sum up

retailler to cut again, remold

retard *m.* delay, slowness

rétif, –ive restive, stubborn

retirer to pull out, remove, withdraw, take off; se —, to retire, withdraw

retomber to fall (down) again, fall (back), hang down

retour *m.* return

retourner to return, turn around; se —, to turn (around)

197

retraite *f.* retreat; **battre en —,** to beat a retreat

rétribution *f.* remuneration, reward

rétrograde reactionary

retrouver to find again; **se —,** to find oneself again

réunion *f.* meeting, social gathering

réunir to join together

réussi, -e successful

réussir to succeed

revanche *f.* revenge

rêve *m.* dream; **faire un —,** to dream, have a dream

réveiller to wake up, awaken; **se —,** to wake up

révélation *f.* revelation

révéler to reveal; **se —,** to be revealed, reveal itself

revenant *m.* ghost

revenir to come back, return; **pour ne plus —,** never to return; **les Parisiens n'en revenaient pas** the Parisians couldn't get over it

revenu *m.* income

rêver to dream (of)

reverdir to grow green again

revêtir to clothe, cover

rêveur, -euse dreamy

revoir to see again

révolte *f.* revolt, rebellion

ricaner to sneer

riche rich, wealthy

rictus *m.* grin

ride *f.* wrinkle

ridé, -e wrinkled

rideau *m.* curtain

ridicule ridiculous

ridiculement ridiculously

rien nothing, anything, not anything; **cela ne fait —,** that doesn't matter; **— que** merely

rigouillard, -e comical, funny (*colloq.*)

rire to laugh (**de** at); **— aux larmes** to laugh till the tears come; **histoire de —,** just for the fun of it

rire *m.* laughter, laughing, laugh

risquer to risk

rive *f.* bank; **— droite** right bank (*of the Seine in Paris*)

rivière *f.* river

riz *m.* rice; **— à l'impératrice** rice empress style (*a rich rice dessert made with gelatin, milk, sugar, vanilla, fruit or jelly, and whipped cream*)

robe *f.* dress, gown; **— de chambre** dressing gown

robuste robust, strong, sturdy

robustement stoutly

roc *m.* rock

rocher *m.* rock, crag

rôder to prowl, wander; **il rôde un frisson à décorner tous les hiboux** there's a shudder at loose that would take the horns off all the owls

roi *m.* king; **—s de la création** lords of creation

rôle *m.* part, roll, rôle

rompre to break

rompu, -e broken

rond, -e round

ronde *f.* round, beat; **— de nuit** night patrol

rondelette round, plump, sizeable

rôtir to roast

Roubaix *city in northern France near the Belgian border*

roue *f.* wheel; **faire — libre to** ride freewheel, coast

rouge red

rougir to redden, turn red,

blush, flush; — de to be ashamed of

rouille f. rust

roulant, –e rolling; table —e movable table, teacart

rouler to roll (along), run, ride; se —, to roll

roulette f. roulette, gambling wheel

Roussillon m. former province in the south of France near the Spanish frontier

route f. road, way, route; en —, on the way

routinier, –ère routine, routinish

roux, rousse red, red-haired; s. red-haired person

rude rough, hard, unpolished; (pop.) first-rate, regular

rue f. street

ruiner to ruin

ruisseau m. brook, stream

rumeur f. din, noise

russe Russian

Russie f. Russia

S

sabre m. sabre, sword

sacristie f. sacristy, vestry

sage wise, well-behaved, good; un enfant —, a good child

sagesse f. wisdom

Saint-Ornain-sur-Dives imaginary village

Saint-Orthaire imaginary village (apparently suggested by Saint Ortaire, a sixth-century abbot of Landelles in the Cotentin peninsula)

saisir to seize, grasp, perceive

saison f. season; à la belle —, in summer, in fine weather

salade f. salad

sale dirty

saleté f. dirt, filth, mess; —! a dirty mess!

salière f. saltcellar

salive f. saliva

salle f. (large) room, hall, living room; — à manger dining room; — de bains bathroom

salope f. slut (pop.)

saloperie f. dirty trick (pop.)

salubrité f. salubrity, wholesomeness

saluer to greet, salute

samedi m. Saturday

sanglant, –e bloody

sans without, but for; — que without

santé f. health; maison de —, insane asylum; la Santé prison in Paris near the Place Denfert-Rochereau

sapin m. fir, fir tree

sapristi by Jove!

Sarcey (Francisque) French dramatic critic, 1828–1899

sarment m. vine shoot

satisfaire to satisfy; se — de to be satisfied with

saturer to saturate

saucisson m. (large) sausage

sauf except

sauter to jump, leap; faire —, to burst

sauvage savage, wild, untamed

sauver (se) to run away

Sauveur m. Savior

savoir to know, know how, be able, can, be aware of; je n'en sais rien I don't know at all; se —, to be known

savon m. soap

scène f. scene

Schéhérazade the narrator of the "Arabian Nights." To save her life she must entertain *the Sultan with a new story every night.*

Scribe (Eugène) *French dramatist, 1791–1861*

scrupule *m.* scruple; **avoir — à** to scruple

sculpter to carve

séance *f.* sitting; **— tenante** then and there

seau *m.* pail, bucket

sec, sèche dry, dried (up), spare, thin, lean; **un grand —**, a tall thin man

sécateur *m.* pruning scissors

seconde *f.* second (*of time*)

secouer to shake, shake off

secourir to help, relieve

secrétaire *m. and f.* secretary; **— de la mairie** town clerk

secrètement secretly

secundo (*Lat.*) secondly

séjour *m.* stay, sojourn

selle *f.* saddle

selon according to; **c'est —,** it all depends; **— que** according as

semaine *f.* week; **— anglaise** long weekend

semblable similar, like, such

semblant *m.* appearance; **faire — de** to pretend to

sembler to seem, appear

semelle *f.* sole (*of shoe*); **ne pas bouger d'une —,** not to stir an inch (a foot)

semer to sow

semestre *m.* half-year, semester; income for the half-year

sensible sensitive, sympathetic

sentiment *m.* feeling

sentir to feel, smell, smell of; **— à plein nez** fairly to reek of; **cela sent son cinéaste** that suggests a movie director; **se —,** to feel

séparer to separate; **se —,** to separate, part

sépulcral, –e sepulchral

série *f.* series, succession

sérieusement seriously

sérieux, –euse serious, grave, serious-minded, important

serrer to press, clasp, clench

serrure *f.* lock

serrurier *m.* locksmith

servante *f.* servant, maid

service *m.* service, set; **— à porto** port wine set *or* service (*decanter and glasses*); **qu'est-ce qu'il y a pour votre —?** what can I do for you?

servir to serve, be useful, wait on; **il ne sert à rien** it is useless; **— de** to serve as; **se — de** to use

seul, –e single, alone, sole, only; **un —,** a single one; **je l'ai fait tout —,** I did it (by) myself

seulement only, simply, even, just

Shah *m.* Shah

si *conj.* if, whether

si *adv.* so, yes (*in contradiction of a preceding negative question or statement*); **— bien que** with the result that

sibyllin, –e mysterious, occult

siècle *m.* century, age

siège *m.* seat, chair

siffler to whistle

sifflet *m.* whistle; **coup de —,** (blast of a) whistle

signaler to make conspicuous; **se —,** to distinguish oneself

signature *f.* signing, signature

signer to sign

signifier to mean, signify

silencieux, –euse silent, still

sillonner to furrow

simple simple, ordinary, plain, easy

simplement simply; **tout —,** quite simply

simplicité *f.* simplicity; **en toute —,** quite simply

singulier, –ère singular

sinistre sinister

sinon except, if not

sitôt as soon (as); **— sa réponse** as soon as his reply arrives

situer to situate

sixième sixth; **— étage** seventh floor

société *f.* society, association

sœur *f.* sister

soif *f.* thirst; **avoir —,** to be thirsty

soigner to look after, take care of

soigneusement carefully

soin *m.* care, attention

soir *m.* evening; **le —,** in the evening; **le — même** that very evening; **tous les —s** every evening

soirée *f.* (*duration of*) evening

soit *conj.:* **— . . . —,** either . . . or

soixantaine *f.* about sixty; **friser la —,** to be getting on to sixty years old

sol *m.* ground, earth

soleil *m.* sun, sunshine; **posséder (avoir) du bien au —,** to own some real estate

solide solid, strong

solidement solidly, firmly

solitaire *m.* solitaire, (single) diamond

somme *f.* sum, amount; **en —,** in short

sommeil *m.* sleep

sommet *m.* top, summit

somptueux, –euse sumptuous

songer to dream, think, think of (à), imagine

sonner to ring, ring for

sonnette *f.* house bell

sonore sonorous

sorcière *f.* sorceress

sort *m.* destiny, fate, fortune, spell; **me jeter des —s** to cast a spell on me

sorte *f.* sort, kind; **en — que, de — que** so that

sortie *f.* departure

sortir to go *or* come out, leave, get out; take out, bring out

sou *m.* sou (*a coin worth five centimes*); **cent sous** = five francs; **un sans sou** a pauper

soucieux, –euse anxious, worried, concerned

soudain, –e sudden; *adv.* suddenly

soude *f.* soda; **borate de —,** sodium borate

souffle *m.* breath

souffler to blow

souffrir to suffer, endure

souhait *m.* wish, desire

souhaiter to wish, desire

soulagement *m.* relief, solace

soulever to raise, stir up, excite; **se —,** to rise

soulier *m.* shoe

soumettre to submit, refer

soumis, –e submissive

soupçonneux, –euse suspicious

soupir *m.* sigh

soupirer to sigh

sourciller to knit one's brows, flinch

sourd, –e deaf; **— comme un pot** deaf as a post

sourire to smile

sourire *m.* smile

sous under, beneath, below

sous-chef de bureau *m.* assistant head clerk

soustraction *f.* subtraction

soutenir to sustain

souvenir (se) (de) to remember

souvenir *m.* recollection, remembrance, memento, souvenir; nos affectueux —s our kind regards

souvent often

spasme *m.* spasm

spectateur *m.* spectator

strangulaire constrictive, "strangulary"

Strasbourg *city in Alsace near the Rhine River*

strict, –e strict, severe

stupéfait, –e stupefied, amazed

stupeur *f.* stupor, stupefaction, amazement

stupide stupid

subordonné, –e *pp. and s.* subordinate

substituer to substitute

succéder to succeed, follow; se —, to follow in order, follow one another

succès *m.* success

sucer to suck

suer to sweat, perspire; — à grosses gouttes to sweat profusely

sueur *f.* sweat

suffire to suffice, be sufficient

suffocant, –e suffocating, choking

suffoquer to suffocate, stifle, choke

suggestif, –ive suggestive

suisse *m.* porter

suite *f.* continuation, coherence, connection; tout de —, at once, immediately

suivant, –e next, following; *m.* following one

suivre to follow, go along; le — des yeux to gaze after him

sujet *m.* subject

sulfate *m.* sulphate

sultan *m.* sultan

superposer to lay upon; un à un superposés one laid upon another

supplémentaire supplementary, additional

supportable bearable

supporter to support, endure, tolerate

supprimer to suppress, cut off, omit, eliminate

sur on, upon, towards, over, about, in, out of

sûr, –e sure, certain; bien —, surely, to be sure

sûrement surely, certainly

sûrepige *f.* police (*slang*)

Sûreté *f.* Detective Bureau (*similar to F.B.I.*)

surgir to rise, loom (up)

surhomme *m.* superman

surhumain, –e superhuman

surmenage *m.* overwork, overexertion

surmonter to surmount, top

surnom *m.* nickname

surpasser to surpass; se —, to outdo oneself

surprendre to surprise, take by surprise; se —, to catch oneself

surpris, –e surprised

surtout especially, above all

surveillance *f.* surveillance

surveiller to supervise, oversee, watch

survenir to arrive unexpectedly, arise, turn up

suspect, –e suspicious

suspendre to suspend, hang up

susurrer to whisper

symétrie *f.* symmetry

sympathie *f.* sympathy, liking, regard

T

ta, ta, ta! tut, tut, tut!
tabac *m.* tobacco
table *f.* table; — de nuit bedside table; — de travail desk
tableau *m.* picture, painting
tablier *m.* apron
tache *f.* stain, spot
tâcher to try
taille *f.* size, stature, height; de haute —, tall
tailler to cut
talon *m.* heel
tambour *m.* drum
tam-tam *m.* tom-tom
tandis que while, whereas
tant so much (many), as much; — mieux so much the better; votre lettre du —, your letter of such and such a date; — que as long as
tante *f.* aunt
tantième *m.* given (such a) part; votre lettre du — courant your letter of such and such a date of the current month
tantôt soon; — ... —, now ... now
taper to tap, rap, beat
tapis *m.* carpet, cloth
tapisser to paper (*room*)
taquiner to tease
tard late
tarder to delay
tas *m.* heap, pile, lot
tâter to feel, touch; — de to have a try at
tâtonner to grope
teinture *f.* color
teinturier *m.* dyer
tel, telle such, like; un —, such a; — que such as
télégramme *m.* telegram

télégraphiste *m.* telegraph messenger
téléphone *m.* telephone
téléphoner to telephone
tellement so, to such a degree; — de so many
témoigner to testify; — de to testify to
tempe *f.* temple
tempérament *m.* constitution, temperament
température *f.* temperature; il fit un peu de —, he ran up a little temperature
temps *m.* time, period, age, while, weather; dans le —, formerly; de mon —, in my time; de — en —, de — à autre from time to time; en même —, at the same time; par gros —, in rough weather; pas mal de —, quite a while
tenailler to torture (tear with pincers)
tenant, –e: séance tenante then and there
tendre tender, affectionate
tendre to stretch (out), hold out, hand
tendresse *f.* tenderness, love
tendu, –e stretched, craned
ténèbres *f. pl.* darkness
tenir to hold, keep, remain; — à to value, prize, (*with inf.*) to be anxious to, insist on; — compte de to take into consideration; — le coup to withstand the blow, "pull through"; — en place to be still; je ne sais à quoi ça tient I don't know what to attribute it to; elle n'y tint plus she could stand it no longer; tiens! tenez! here! se —, to keep, be, remain,

hold back; **se** — **debout** to stand up; **tiens-toi tranquille** be still; **savoir à quoi s'en** —, to know how matters stand

tentation *f.* temptation

tenter to attempt, try; — **la chance** to try one's luck

tenture *f.* wallpaper

tergiverser to tergiversate, hesitate, beat about the bush

terminer to end, finish

terrain *m.* ground, plot of land

terre *f.* earth, land, piece of land, ground, world, property; **par** —, on the ground, to the ground

terreur *f.* terror

terriblement terribly

terrifiant, –e terrifying

tertio (*Lat.*) thirdly

tétarer to confuse, "fool" (*slang*)

tête *f.* head

tête-à-tête *m.* tête-à-tête, tea set (*for two*)

tétravalent, –e tetravalent, of quadrivalent strength

texte *m.* text

Thérèse Theresa

Tholozé: rue —, *short street in Montmartre leading into the rue Lepic*

thyroïde thyroid

tilleul *m.* lime tree, linden

timbale *f.* kettledrum; **décrocher la** —, to win the prize

timbre *m.* stamp, postage stamp

timidité *f.* timidity

tintamarre *m.* hubbub, uproar, noise

tirage *m.* drawing

tirer to pull, pull out, pull off, get, take out, extract, shoot, discharge *or* fire (*a weapon*);

— **d'affaire** to pull through; **se** — **d'affaire** manage, pull through; — **sur** to shoot at

tiroir *m.* drawer

titre *m.* title, right; **au même** — **que** with the same right as

toit *m.* roof

tombant, –e falling; **la nuit tombante** nightfall

tombe *f.* tomb, grave

tomber to fall; **faire** —, to knock down; **les faire un tout petit peu** — **par terre** to give them a little tumble

tome *m.* volume

ton *m.* tone

tondre to clip, mow

tonner to thunder

tonnerre *m.* thunder; **du** — **de Dieu** from God knows where

torchon *m.* dishcloth, rag; botched-up job

tordre to twist; **se** —, to writhe, twist

torse *m.* torso

tortiller to twist; **se** —, to squirm

tôt soon, early

totalement totally, entirely

touchant, –e touching, moving

toucher to touch, move, affect, receive (*money*), be paid, draw

toujours always, still, all the same, anyhow

tour *m.* turn, tour, manner of expression; — **de main** twinkling; **à son** —, in his (her) turn; **Tour de France** *the most important bicycle race in France, held annually;* **faire le** — **de la chambre** to walk around the room

Touraine *f. former province in west central France*

tournant *m.* turning, bend

tourner to turn, turn around; — autour d'une femme to "hang around" a woman; se —, to turn (around)

Tours *city in Touraine 148 miles southwest of Paris*

tousser to cough

tout, -e *pl.* tous, toutes *adj. and pro.* all, every, the whole; tous (les) deux both; — ce qui, — ce que all that

tout *adv.* quite, entirely, thoroughly, very; — à fait quite, altogether, completely; — en (*with pres. part.*) while, all the while; — à la joie de absorbed in the joy of

tout *m.* whole; pas du —, not at all; rien du —, nothing at all; le —, everything

toutefois yet, however

toux *f.* cough

traditionnel, -elle traditional

tragique tragic

train *m.* train; en — de in the act of, busy

traîneau *m.* sleigh

traîner to drag, pull, delay, lag behind

traire to milk, do the milking

trait *m.* trait, feature, stroke, line, shaft, passage, length (*of time*)

traiter to treat; — de to call

trajet *m.* journey

tranquille tranquil, still, quiet; laisser —, to leave alone

tranquillement tranquilly

transformer to transform; se —, to change

transporter to transport, move

transversalement transversally, crosswise

travail *m.* work

travailler to work

travailleur *m.* worker

travers: à —, au — de through

traverser to cross, go through, traverse

trébucher to waver

trembler to tremble, shake

trempé, -e tempered, hardened

tremper to soak, steep, wet, temper, harden

très very, very much

trésor *m.* treasure

tressaillir to start, give a start, wince

trêve *f.* truce

trimer (*pop.*) to toil

triste sad, wretched

tristement sadly

tristesse *f.* sadness

tromper to deceive; se —, to be mistaken

trop too, too much, too well; on ne sait pas trop pourquoi one hardly knows why

trophée *m.* trophy

trou *m.* hole

troubler to disturb

trouvaille *f.* find

trouver to find, discover, think, consider; — à to find a means to; aller —, to go (and) see; se —, to be, be located, feel, happen to be; se — de to happen to

truand *m.* tramp, beggar; grosse nature de —, vulgar beggar

truc *m.* trick, contraption

T.S.F. (télégraphie sans fil) *f.* radio; *see* poste

tu tu tu ta ta ta!

tuer to kill

tue-tête: à —, at the top of one's voice

tulle *m.* tulle (*fine net fabric*)

tyrannie *f.* tyranny

U

un, une one, a, an; *pl.* **des** some
unique single, sole, only, unique
usage *m.* use, custom
usé, –e worn
utile useful
utiliser to use, utilize

V

vacances *f. pl.* vacation, holidays
vacarme *m.* uproar, din
vache *f.* cow
vain, –e vain, ineffectual
vaincre to vanquish, defeat
vainement vainly
vainqueur *m.* victor
valet *m.* valet, servant; — **de chambre** valet
valeur *f.* value, worth; *pl.* securities
vallée *f.* valley
valoir to be worth, earn; — **mieux** to be better; **ça ne vaut pas le bœuf** that's not so good as beef; **il ne vaut pas cher** he's not much good; **se faire** —, to set each other off to advantage
veau *m.* veal
veille *f.* eve, preceding day, wakefulness; **à la — de** on the eve of; **à l'état de** —, when awake
veine *f.* luck
Vendée *f. department in western France*
vendre to sell
venir to come; — **de** to have just
vent *m.* wind
ventre *m.* stomach, belly
venu *m.* comer

verdâtre greenish; **guigne affreusement** —, terribly tough luck
verdir to become green, turn green
verdure *f.* greenness, verdure
véritable true, genuine
véritablement really, truly
vérité *f.* truth
vermeil *m.* silver-gilt
verre *m.* glass; — **à dents** mouth-rinsing glass
verrou *m.* bolt; **au triple** —, under triple lock
vers towards, to, about
verser to pour (out), pay (in)
vert, –e green, hale, hearty
vestibule *m.* (entrance) hall
vestige *m.* trace
veston *m.* jacket, coat
vêtir to clothe, dress
viager, –ère *adj. and s.* for life; **rente viagère** life annuity; **en** —, in a life annuity
viande *f.* meat
victime *f.* victim
victoire *f.* victory
vide empty
vie *f.* life; **être en** —, to be alive; **mener une — de bâtons de chaise** to lead a fast life
vieillard *m.* old man
vieille *f.* old woman
vieillerie *f.* old stuff, old things
vieillir to grow old, age; make old, make look old
vieux (vieil), vieille old; **le** —, the old man
vif, vive lively, sharp, keen, violent
vigne *f.* vine, vineyard
vigneron *m.* vinegrower
vigoureusement vigorously
ville *f.* city; **en** —, in town

vin *m.* wine

violet, –ette violet, purple

virgule *f.* comma

visage *m.* face

visiblement visibly, obviously

visite *f.* visit, (social) call; rendre —, to visit

visiter to visit, examine, inspect

visiteur, –euse visitor

vite swift, swiftly, quickly

vitre *f.* pane, windowpane

vitrine *f.* shopwindow; showcase, glass cabinet

vivant, –e living, alive, lifelike; *m.* living person; les —s the living; du —, during the lifetime

vivre to live

vœu *m.* wish

voilà there is, there are, that is, behold; vous —, there you are; la —, there she (it) is

voile *m.* veil

voiler (se) to cloud over

voilette *f.* small veil

voir to see; voyons! let's see! on va — à — = on va voir

voisin, –e neighboring, adjoining, nearby, near to (de); *s.* neighbor

voisiner to be adjacent; voisinant avec beside

voiture *f.* auto, car

voiturette (automobile) *f.* small auto

voix *f.* voice; — de tête falsetto; lire à haute —, to read aloud

vol *m.* theft, robbery

voler to steal, rob

volet *m.* shutter

volontaire voluntary; *m.* volunteer

volonté *f.* will; les dernières —s last will and testament

vouloir to wish, want, will, expect, try; que voulez-vous? what do you expect? — dire to mean; en — à to bear a grudge against, be angry with

vouloir *m.* will, desire

voûte *f.* vault, arch

voûté, –e stooping, bent

voûter to arch, be bent

vouvoyer to address someone with vous instead of tu; to speak formally

voyage *m.* journey, trip, voyage; — de noces honeymoon trip

voyou *m.* blackguard

vrai, –e true, real, genuine, regular

vraiment really, truly; —? indeed? is that so?

vue *f.* sight; à — d'œil visibly

vulgaire vulgar, common

Y

y there, in it, in them, *etc.;* il y a there is, there are; il y a quinze ans fifteen years ago; ça y est that's it, all right, it's done

yeux *see* œil

Z

zéro *m.* zero, nought

zigouiller to "bump off" (*slang*)